D0296628

Bernie King
en de magische cirkels

Ander werk van Daan Remmerts de Vries

Godje (2002) Gouden Griffel 2003
Ridder Prikneus (2003)
De Noordenwindheks (2004) Zilveren Griffel 2005
Circus Pingies. Een avontuur van Zippy en Slos (2006)
Lieve Muis (2007)
Wie is Libby Skibner? (2007)
Droomkonijn (2008)

Daan
Remmerts de Vries

Bernie King
en de magische cirkels

Amsterdam · Antwerpen
Em. Querido's Uitgeverij BV
2008

Voor mijn ouders
– die in geen enkel opzicht lijken op
de ouders in dit boek.

www.queridokind.nl

Omslag Brigitte Slangen
Omslagillustratie Ien van Laanen

ISBN 978 90 451 0649 6 / NUR 283

1

Alles begon pas echt toen Bernie op een dinsdagmiddag, in de achtertuin, een slak vond. Geen gewone slak, maar een slak met handjes...

Verbaasd boog Bernie zich voorover. Jazeker. Er zaten roze armpjes aan. En aan die armpjes zaten handjes.

De slak lag onbewegelijk op de aarde, tussen de bossen brandnetels. Nee, niet helemaal zonder bewegen; de handjes reikten nu omhoog. Het leek alsof die slak met zijn laatste krachten smeekte om hulp. Bernie pakte hem niet op. Hadden slakken vaker handjes? Het zou kunnen. Hij had zoiets nog nooit gezien, maar er waren veel dingen die hij nog nooit gezien had.

Op datzelfde ogenblik, dat ogenblik dat Bernie zich stond te verwonderen, verroerde zich iets aan de andere kant van de heg. Daar kwam met een ruk het hoofd omhoog van de buurvrouw; daar, op handen en knieën, kroop mevrouw Zwellengrebel rond tussen haar bloemen.

Een paar maanden geleden was ze in het oude buurhuis komen wonen. Het stond even verderop, het had een puntdak en boven de deuren en de ramen waren bogen. Tijdenlang had het leeggestaan, maar op een avond was een verhuiswagen verschenen in de straat. De verhuismannen hadden vele ingepakte voorwerpen naar binnen gedragen. En al de volgende dag waren de planken voor de vensters weggehaald.

De daaropvolgende dag had ze in levenden lijve gelopen

door haar achtertuin. Mevrouw Zwellengrebel; zo op het oog een keurige, wat oudere dame met half blond, half grijzend haar. Ze had de tuin ontdaan van gras en distels en ze had er bloemen ingezaaid. Die waren opgekomen in drie dagen – oranjerode, grote bloemen, zoals niemand in het dorp ze had.

'Dag Bernie.'

Bernie groette terug.

'Ik zoek iets,' zei mevrouw Zwellengrebel, terwijl ze overeind kwam. 'Een slak. Een heel bijzonder soort van slak. Die is ontsnapt.'

Ze had een beschaafde stem. Ze was lang en droeg voornamelijk zwarte kleren.

'Een slak, mevrouw Zwellengrebel?'

Ze knikte.

'Ik heb een terrarium. In dat terrarium zitten Zuid-Amerikaanse dieren. En dus ook die slak. Jij hebt hem zeker niet gezien?'

'Slakken zijn toch heel erg langzaam?'

'Deze niet. Dit is een snelle slak.'

Bernie grinnikte; zijn buurvrouw scheen de grap er niet van in te zien.

'Ben je hier alleen?' vroeg ze.

De zon, viel Bernie op, scheen met een eigenaardig blauwig licht omlaag. Alsof het een vlam was in een gasfornuis. En de bladeren van de eiken, achter de tuin, leken te fluisteren in een sissend murmelende taal.

'Hoezo?' zei hij zacht.

Mevrouw Zwellengrebel wilde iets terugzeggen, maar Bernies vader dook op in de deuropening van de keuken.

'Bernie! We gaan eten!'

Bernie draaide zich om en riep: 'Ik kom.'

Toen hij zich terugdraaide was de buurvrouw weg. Blijkbaar was ze teruggelopen naar haar huis, maar dat moest dan wel gebeurd zijn in een oogwenk.

Bernie pakte gauw de slak, plukte wat gras en holde toen naar binnen. De zon was weer gewoon de zon, helder en schijnend, precies zoals 't hoorde.

2

Bernie rende naar zijn kamer. Daar legde hij de slak voorzichtig op het gras, in een leeg aquarium. Vervolgens liep hij naar de woonkamer.

Ze aten pasta met schimmelkaas en stukjes spek. Bernie staarde naar de rozige stukjes tussen de spaghettislierten. Die stukjes leken op de armpjes van de slak. Waar zijn trek niet van verminderde; integendeel, het rook verrukkelijk.

Zijn vader, meneer King, vouwde zijn handen.

'Lieve Heer, bedankt voor het eten. Ga vooral zo door met Uw goede giften. En zorg ook dat ik meer verdien. U kunt dat doen, voor U is dat een makkie. Dus vergeet Uw willige dienaar niet. Amen en de groeten thuis.'

Dat was het gebed dat zijn vader meestal uitsprak. Bernie en zijn oudere zus waren er volkomen aan gewend.

Ze vielen aan. Als gekken stouwden ze de warme hap naar binnen.

'Is er nog stokbrood?' vroeg meneer King.

'Wrokwrood?' mompelde zijn vrouw met volle mond. 'Neu.'

'Geen stokbrood? Waarom niet?'

'Weekveel.' Ze slikte door. 'Misschien moet je wat harder bidden.'

Ze lachte kort, als enige, en schrokte daarna nog gejaagder door. Voor een toeschouwer zou het vreselijk zijn geweest, die schrokkende, hikkende, boerende en schranzende familie, maar voor de familieleden zelf was het niets bijzonders. De spetters vlogen over tafel. Pastasaus droop omlaag over de kinnen van Jane en mevrouw King. Mevrouw King was dan ook onvoorstelbaar dik en Jane was hard op weg om dat te worden.

Meneer King daarentegen was graatmager. Hij at net zo haastig als zijn vrouw, maar hij kauwde zijn eten niet. Hij slikte zoals een reiger een vis naar binnen werkt. Hij leek ook op een reiger, met zijn haakneus en zijn lange en geknikte hals.

Alles was na drie minuten op. Nahijgend zaten ze om tafel.

'Pa?' vroeg Bernie.

'Wat?' zei meneer King.

'Pa, slakken met handjes, zijn dat gewone slakken?'

'Wat?'

'Slakken met eh... Nou ja... handjes. Zijn dat echte slakken?'

Meneer King grinnikte smalend. Jane keek onderzoekend naar haar broer. Mevrouw King had geen tijd, zij was druk in de weer met de pan waarin de pasta had gezeten. Met haar wijsvinger veegde ze de laatste resten van de bodem, telkens likte ze die vinger slurpend af.

'Praat geen onzin, jong,' zei meneer King. 'Zulke dingen bestaan er niet.'

'Er bestaan toch ook vissen met vleugels?' zei Bernie.

'Hoe kom je daar nou bij?'

'Dat heb ik op... Wel eens gehoord, bedoel ik...'

'Ho ho!' zei meneer King. 'Heb jij aan mijn tv gezeten?'

De royale breedbeeld-tv, in de hoek van de kamer, was het dierbaarste bezit van meneer King. Hij was trots op die tv en er mocht enkel naar gekeken worden als hij daar persoonlijk toestemming voor had verleend. Dat was meestal alleen het geval als er een film was, want meneer King was dol op films.

Jane was dan ook vernoemd naar een actrice, en Bernie was vernoemd naar een sint-bernard, die in een heel middelmatige film een man had gered uit een lawine. Meneer King was, tijdens het kijken, diep ontroerd geweest; veel ontroerder dan over de geboorte van alweer een kind. Daarom dus had hij zijn eerste zoon dan toen maar Bernie genoemd, want die hond had in zijn hoofd gezeten.

'Ik heb eventjes gekeken,' zei Bernie. 'Vanmiddag. Er was een natuurfilm op tv.'

'Dat wil ik dus niet meer hebben!' zei meneer King.

'Sorry pa.'

'En je moet niet alles maar geloven wat ze uitzenden. Vliegende vissen! Heb jij ooit een vis zien vliegen...? Precies! Nee jongen...'

Meneer King vouwde zijn vingertoppen tegen elkaar.

'De slak behoort namelijk tot de zogenaamde kruipende weekdieren,' vervolgde hij. 'God heeft het zo bedacht dat slakken door het onkruid moeten kruipen terwijl wij, mensen, handen hebben gekregen om dingen vast te pakken en voeten om op te staan. Daarom hoeven wij niet door het onkruid te kruipen. En daarom zijn wij, mensen, een hogere diersoort. Begrijp je wel? Slakken zijn laag en wij zijn hoog! Ga maar eens naast een slak staan, dan zie je het verschil. Nou, dat is dus duidelijk. Vooral wij mannen zijn hoogstaande dieren... eh... mensen, bedoel ik.'

Meneer King keek triomfantelijk rond. Hij hield erg van zijn eigen stemgeluid. Verder kon hij alles verklaren, en altijd weer haalde hij God erbij. Daarom was het eigenlijk des te merkwaardiger dat hij zijn geld verdiende met het bedriegen van zijn medemensen. Want meneer King verkocht stukjes van Amerika. Dat dit stukjes waren die niet echt bestonden, dat zei hij er niet bij.

Alles aan meneer King was, als je hem goed bekeek, behoorlijk vals. Hij droeg een kunstgebit en een koffiekleurige toupet. Maar het was vooral de uitdrukking op zijn gezicht die niet wilde deugen. Meneer King deed erg zijn best om open te zijn, en kalm, want hij wist best dat hij daarmee overkwam als een goed mens; maar eigenlijk leek hij altijd iets te verbergen. Zijn echte naam was niet eens King, maar Kingstonowitsj. Hij had zijn naam veranderd om betrouwbaarder te lijken voor de mensen die hij oplichtte.

Voor dat oplichten zat hij regelmatig uren achter zijn computer, op zoek naar plaatjes van bergen of van stranden. Daar maakte hij zelf een beschrijving bij. Hij verzon een naam voor zo'n gebied en schreef dat het er altijd prachtig weer was, dat de grond er stevig was, uitstekend om een huis op neer te zetten, en dat de vorige eigenaar een dametje geweest was, dat op haar honderdvierde was gestorven; zo oud kon je daar worden, zo gezond was het om daar te leven!

Waar meneer King precies zijn klanten vond wist niemand, maar soms reed hij weg in zijn auto 'om een zaak te doen'. Hij verdiende aardig, dus moesten er een hoop mensen invliegen. Ook hier had meneer King een uitleg voor die te maken had met God.

'Sommige mensen,' kon hij zeggen, 'leven met de zonde der hebzucht. Dat is een *laag* soort van mensen. Maar andere mensen hebben van onze Heer de gift der fantasie ontvangen! Dat zijn mensen die leven op een *hoger* plan! Nou heeft het onze Heer behaagd om deze twee soorten bij elkaar te brengen. Ik ben dus niks meer dan een werktuig dat Hij naar de hebzuchtigen heeft gestuurd!'

'Oké pa, bedankt voor je uitleg,' zei Bernie vermoeid, en hij bedacht voor de zoveelste keer dat het geen enkele zin had om vragen te stellen aan zijn vader.

'In orde, vent,' zei meneer King. 'En denk eraan, niet meer aan mijn zuurverdiende spullen zitten!'

Bernie stond op en liep naar zijn kamer.

3

Bernies kamer was echt prettig. Dit was zijn terrein. Er hing een grote poster van een vampier die net zijn tanden zette in de hals van een onschuldig meisje. Er stonden een bed, een oude leunstoel en een tafeltje. In een hoek stond bovendien zijn verzameling. Als Bernie een dood dier vond, nam hij dat mee en stopte het later in een oude jampot. Sommige van die dieren – zoals een kikker, een roodborst en een hagedis – waren verdroogd, maar andere waren gaan rotten. Die rottende dieren waren verreweg het leukst. Daar kwamen schimmels op, in vele kleuren.

Maar nu zat er, in dat aquarium, een nieuwe aanwinst: een slak met handjes – een nog levend beest. Eigenlijk was dat wel zo interessant.

Hij had hem natuurlijk aan zijn vader kunnen laten zien.

Daarmee had hij overduidelijk bewezen dat slakken met handjes werkelijk bestonden. Maar de kans was groot geweest dat zijn vader die slak dan uit het raam had gekieperd. Want meneer King hield alleen van dieren in gekookte of gebakken toestand.

Langzaam kroop de slak over het gras. Met een van die handjes hield hij een stengel vast, daar scheen hij peinzend op te kauwen. Bernie ging ernaast zitten en bedacht dat het wel mooi was dat zijn moeder nooit schoonmaakte in zijn kamer. Ze zou het aquarium dus niet zo snel ontdekken.

Hij had, merkte hij intussen, nog steeds dat onbehaaglijke gevoel. Dat had hij nu al enkele weken, zonder dat hij kon zeggen waar het nou precies aan lag. Hij had wel een paar vreemde dingen gezien. Maar er was eigenlijk niet iets *gebeurd*...

Alleen was er dan nu die slak. Die slak die eigenlijk van de buurvrouw was.

Even zag hij haar weer zitten tussen haar uitzonderlijke, felgekleurde bloemen.

Dat, bedacht hij, zou ook wel weer de een of andere zeldzame Zuid-Amerikaanse soort wezen.

4

Die avond slenterde hij samen met Tessa door het dorp.

Tessa Koperdraad zat bij hem in de klas. Allebei waren ze buitenbeentjes, allebei hielden ze er meer van om rond te zwerven dan om achter een computer of voor een tv te zitten. En misschien was het wel daarom dat ze elkaar telkens opzochten.

Naast elkaar sjokten ze over straat. Het was nog licht. Tessa at een boterham met jam.

'Toe maar,' zei Bernie, 'prop je vol, konijntje.'

Zo noemde hij haar vaak: konijntje. Tessa was een nerveuzig meisje met lichtblond, vlassig haar, haar voortanden staken een beetje uit. Toch was die bijnaam niet onvriendelijk bedoeld, dat hoorde Tessa aan de manier waarop Bernie het uitsprak.

'Mmmm,' mompelde ze kauwend.

Bernie keek omhoog. Er hing een grote, donkergrijze wolk boven hun hoofd. Even leek het net alsof die wolk de vorm had van een uitgestrekte klauw.

Bernie huiverde. De wolk veranderde alweer van vorm.

'Zie jij ook van die dingen?' vroeg hij.

'Dingen?' vroeg Tessa, een laatste hap wegslikkend.

'Gekke dingen. Dingen die niet kloppen... Vanmiddag bijvoorbeeld vond ik in onze tuin een slak, en die slak had handjes.'

'Misschien een soort die jij niet kent.'

'Zou kunnen. Mevrouw Zwellengrebel liep ernaar te zoeken. Ze had een terrarium, zei ze. Daaruit was die slak ontsnapt.'

'Een ontsnappende slak?'

'Een snelle slak. Beweerde ze. Daar heb ik niks van gemerkt.'

'Heb je hem teruggegeven?'

'Nee. Op de een of andere manier had ik daar helemaal geen zin in.'

Tessa trok haar schouders op.

'Ik heb ook iets gezien,' zei ze toen. 'Laatst liep ik over straat en iets verderop stonden een paar honden. En die gingen er ineens jankend vandoor, met hun staart tussen hun poten. Alsof ze een monster roken! Maar ík zag niks bijzonders.'

'Juist,' zei Bernie. 'En weet je wat ik een tijdje geleden zag? Een regenboog boven dat oude huis naast ons.'

'Een regenboog is toch gewoon?'

'Maar het was *'s nachts*! De maan was vol. En daarnaast stond dan die regenboog. Begrijp je? De maan had er bij wijze van spreken onderdoor kunnen duiken.'

Tessa schudde met haar hoofd. Bernie had altijd verhalen die net wat vreemder waren dan de hare. Ze wist nooit of ze in de maling werd genomen.

'Ik heb 'm thuis,' vervolgde Bernie.

'Die regenboog?'

'Die slak. Wil je 'm zien?'

Tessa grinnikte vermaakt.

'Ja ja. En dan loop ik naar jou toe en dan ben ik er weer eens ingevlogen.'

'Dan niet,' zei Bernie stug.

'Daar gaan we weer,' zei Tessa. 'Ik weet nooit met jou of je het meent of niet.'

Bernie lachte kort.

'Al die grappen altijd!' ging Tessa door. 'Weet je hoe ze je tegenwoordig noemen in het dorp?'

'Jawel,' mompelde Bernie.

'Kleine aap!' zei Tessa. 'En je hebt het aan jezelf te danken.'

Bernie gniffelde tevreden.

'Dat laken laatst. Dat was wel goed.'

Nog niet zo lang geleden hadden ze ook op een avond door het dorp gelopen. Toen had Bernie uit een tuin een laken meegenomen dat daar hing te drogen. Hij had er twee gaten in gemaakt en zo, wapperend als een spook, was hij gillend door de donkere achtertuinen van de huizen gerend.

Tessa had toegekeken. Ze had het bijna in haar broek gedaan van het lachen, vooral nadat twee vrouwen er krijsend vandoor waren gegaan toen Bernie plotseling opdook uit de berm.

'Die stunt met het standbeeld,' zei Tessa. 'Die vond ik nog beter.'

Op het dorpsplein stond een bronzen standbeeld dat de stichter van het dorp moest voorstellen. Een maand geleden, op alweer zo'n nacht, was Bernie erbovenop geklommen. Hij had met superlijm een rode feestneus met snor bevestigd op het statige, metalen hoofd.

Die grap had, met een kleurenfoto, in *De Biesterkrimpse Bazuin* gestaan, de plaatselijke krant. Er was een ladder aan te pas gekomen, om die neus weer van dat beeld te krijgen. Maar Biesterkrimp was natuurlijk wel een dorp; en dus scheen iedereen meteen te hebben doorgehad wie die grap nu weer had uitgehaald.

Die *apenstreek*.

Nee, het was niet zomaar dat Bernie die eretitel had gekregen; hij had er echt zijn best voor gedaan.

'Maar ik weet niet,' zei Tessa, 'of dat nou iets is waarover je tevreden moet zijn.'

'Och,' zei Bernie luchtig, 'ik bén tenminste iemand.'

Want hij was eigenlijk trots op die foto geweest; apetrots.

Op dat ogenblik liepen ze langs een voortuin die vol stond met kabouters. Bernie bleef staan.

'Jeetje,' zei hij. 'Tuinkabouters. Oerlelijke plastic tuinkabouters. Wel twintig. Ze vragen erom, vind je niet?'

'Nee,' zei Tessa. 'Ze vragen niks. Laten we het nou eens rustig houden alsjeblieft.'

Bernie keek om zich heen.

'Loop jij maar door,' zei hij.

'Nee toch!' zei Tessa.

Bernie giechelde en dook onder een heg door, hij was opeens verdwenen.

'Het zal weer eens niet,' mompelde Tessa.

Haastig liep ze verder

En nauwelijks had ze tien stappen gedaan of daar dook Bernie alweer op, uit die heg. Hij liep voorovergebogen, maar het was duidelijk dat hij iets groots onder zijn jas verborg.

'En nu?' vroeg Tessa, want ze was toch wel nieuwsgierig.

'Improviseren, konijntje!' riep Bernie opgewekt. 'We vinden vast wel een leuke plek waar een kabouter... O, wacht! Kijk eens even aan...'

In de verte, langs de stoeprand, stond een open wagen. Even stonden ze te kijken.

'Wat wou je nou?' vroeg Tessa.

Ze begon te fluisteren, want ze voelde dat hier de zoveelste glorieuze grap werd geboren.

'Zou het niet ontzettend leuk zijn,' fluisterde Bernie terug, 'als deze rode sportauto bestuurd zou worden door een *tuinkabouter...?*'

Tessa keek hem aan.

'Dat kun je toch niet maken!' zei ze.

Dat was nou precies datgene wat Bernie zich nooit zou laten zeggen. Ze stonden er inmiddels naast. De lichten van de auto waren aan, de motor draaide. Vlakbij, in een huis, stond de voordeur open; daar waren mannen in gesprek.

'Ik vind dit tamelijk link...' zei Tessa.

Maar Bernie had de kabouter al op de voorbank gezet.

Het was een leuk gezicht. Heel opvallend stak dat hoofd,

met z'n witte baard en z'n rode muts, omhoog achter het stuur. Bernie kwam weer naast Tessa staan.

'Ziezo,' zei hij. 'Dat is alles. Niks om je druk over te maken. Nu wachten tot de eigenaar komt.'

Tessa giechelde. Met Bernie verveelde je je zelden.

De voordeur van het huis werd dichtgeslagen. Daar kwam de eigenaar al aangelopen; een man met een sikje en een leren jack. Bernie en Tessa hurkten neer onder een heg.

'Hè?' hoorden ze hem zeggen.

Ze zagen zijn wenkbrauwen omhoog gaan op zijn voorhoofd.

Nu kwam er plotseling een extra wolkje uit de uitlaatpijp. En toen... trok de auto op... Traag zette het ding zich in beweging. En plechtig schoof de puntmuts van de kabouter steeds verder weg.

De man met het sikje stond als aan de grond genageld op de stoep. Maar ook Bernie en Tessa waren verbijsterd; het had iets adembenemends, die auto die uit zichzelf begon te rijden...

De man met het sikje nam een paar passen. Toen begon hij te rennen.

Bernie en Tessa kwamen overeind. En zo zagen ze de man nog voorthollen, achter zijn wagen die er met een vaart vandoor ging door de straat.

'M'n auto!' bulkte de man. 'M'n auto wordt gejat door een kabouter!'

'Ik begrijp er niks van,' fluisterde Bernie, 'maar 't is wel mooi...'

En dat was het ook. Het was fantastisch. Zo geslaagd was een grap nog nooit geweest. Tessa en Bernie schaterden het uit.

Toen de auto uit het zicht verdwenen was maakten ze dat ze

wegkwamen. Ze merkten niet dat ze al die tijd in de gaten waren gehouden door een man die in zijn tuin had staan snoeien...

5

's Ochtends, op het schoolplein, stonden de leerlingen in groepjes te praten of te bellen met hun mobiele telefoon. Bernie zag die groepjes en was bijzonder voldaan; hij was er zeker van dat ze het allemaal hadden over zijn nieuwste stunt.

'Hé aapje!' riep een jongen.

'Hé Willie Wortel,' groette Bernie terug. 'Wat is er aan de hand?'

De jongen kwam naar hem toe gelopen. Eigenlijk heette hij Roelof, maar Roelof had ooit de stommiteit begaan om voor de klas te verklaren dat hij uitvinder wilde worden, en bovendien had hij peenkleurig haar. Sindsdien noemde iedereen hem Willie Wortel.

'Sjakie wordt vermist,' zei Roelof. 'Het stond vanochtend in de krant.'

'Vermist?' vroeg Bernie. 'Wat bedoel je?'

Roelof trok zijn schouders op.

'De politie denkt dat-ie is weggelopen.'

Bernie was teleurgesteld. Sjakie was een jongen uit hun klas; een nogal sloom joch waar geen lol mee te beleven viel.

'O,' zei Bernie. 'Hebben jullie het dáárover?'

Er kwam een andere jongen bij staan.

'Hé aapje!'

‘Hé Boter. Is ’t waar?’

‘Volgens mij wel,’ zei de jongen die Boter werd genoemd. ‘Sjakie de slak. Die slomo is gewoon... Nou ja... *verdwenen*.’

Bernie ging zo hier en daar bij de groepjes staan luisteren. Iedereen praatte over de verdwijning van Sjakie. Blijkbaar had nog niemand iets vernomen over een auto’s stelende kabouter.

In het klaslokaal knipoogde Tessa in zijn richting. Het was een afspraak tussen hen dat ze op school niet te veel van hun vriendschap lieten merken; voordat je het wist dacht iedereen nog dat ze met elkaar gingen.

Meester Kokelberg – een lange man met een ringbaard en een bril – kwam binnen. Hij zette zijn tas naast zijn tafel en keek om zich heen.

‘Kan iedereen even stil zijn?’

Het klaslawaai stierf weg.

‘Jullie hebben het waarschijnlijk al gehoord,’ zei meester Kokelberg, en hij keek rond. ‘Sjakie Smeets wordt vermist. Het is mogelijk dat hij is weggelopen. Maar het kan ook iets anders zijn...’

De meester schudde met zijn hoofd.

‘Wat dat dan precies is, dat weet nog niemand, maar... maar het kan zijn dat een van jullie iets heeft gezien. Een auto die niemand kent. Of een man die zich verdacht gedroeg. Natuurlijk hoeven jullie nou niet direct bang te worden. Dat is nergens voor nodig. En het is onzin om bij elke auto die jullie niet kennen direct de politie te bellen. Want eh... nou ja, toeristen zijn natuurlijk maar toeristen. En het kan ook best wel zijn dat iemand zich verdacht gedraagt, maar dat er dan toch niks aan de hand is. Dat kan gemakkelijk. Ikzelf draag, om maar iets te noemen, best wel vaak een zonnebril. Dat maakt mij dus nog niet verdacht, bedoel ik. Want dat is gewoon voor de zon. Dus bij iedere vreemdeling die je tegenkomt moet je niet onmiddellijk gaan staan schreeuwen. Integendeel, je moet juist best wel aardig zijn tegen vreemdelingen, vind ik! Maar niks van ze aannemen. Maar de weg wijzen mag. Maar niet in hun auto stappen. Maar een praatje mag dus ook best wel... Nou, jullie begrijpen 't wel. De afgelopen tijd zijn er meer van dit soort voorvallen in de streek geweest. In Udel zijn er ook twee kinderen verdwenen. En eentje in Palingdorperhoef. Jullie moeten dus best wel een beetje opletten. Als jullie nou iets zien, iets waarvan je denkt, dat zou best wel eens verdacht kunnen zijn, dan kunnen jullie dat aan mij doorgeven. Of aan je ouders natuurlijk. Of aan de politie. Maar niet bij elk wissewasje gaan gillen dus. Oké? Juist...'

Meester Kokelberg knikte en zijn ogen knipperden.

'Laten we hopen dat dit niks is. Dat Sjakie zich gewoon ergens heeft verstopt of zo. Goed. Dat is alles. Best wel een hele uitleg, lijkt me. Maar 't was nodig. Of hadden jullie toch nog vragen?'

Bernie stak zijn vinger op.

'Ja?' vroeg meester Kokelberg.

'Moet ik vreemde natuurdingen ook melden?'

'Natuurdingen? Wat voor natuurdingen?'

'Nou, bijvoorbeeld een rare slak.'

De klas grinnikte bedeesd. Maar het gezicht van meester Kokelberg liep roze aan.

'Bernie King! Ik vind dat je nu eens voor één keer –'

'Maar meester! Ik heb een slak gevonden en die –'

'Bernie, hou op! Ga maar even op de gang staan afkoelen! Ik weet best wel dat Sjakie soms door jullie "slak" genoemd werd. En hij wás ook inderdaad nogal langzaam. Het was een behoorlijk trage, slappe jongen, dat ben ik best wel met jullie eens. Maar dat kun je *nu* toch niet zeggen! Dat Sjakie een echte slampamper was, om zoiets *nu* te zeggen, op dit moment, dat vind ik... best wel misselijk! D'r uit!'

Gekwetst liep Bernie weg.

Zo stond hij op de gang. Maar niet voor lang. Want plotseling werd de voordeur van de school geopend. En daar kwamen een paar agenten binnen, samen met twee mannen; en een van hen was de man met het sikje.

Bernie schrok zich een ongeluk. Hij keek om zich heen, maar er waren hier geen heggen om in weg te kruipen.

'Dat is 'm!' zei een van de mannen wijzend.

'Ja hoor,' zei een van de agenten. 'Bernie King.'

'De kleine aap!' zei de andere. 'Dat hadden we weer kunnen weten.'

'Dag meneertje King,' zei de eerste agent, die Van Wamsveld heette. 'Jij bent erbij. En dit keer ga je mee naar het bureau.'

'Het bureau? Waarom?'

'Waarom? Wat denk je zelf? Geen flauw idee zeker! Hup, meekomen jij!'

En zo werd Bernie weggeleid en werd hij als een kleine boef naar binnen geduwd in een politiewagen.

6

Vier agenten stonden in een kring. Bernie zat kleintjes in het midden op een stoel. Geërgerd keken de agenten op hem neer.

'Verdomde kleine aap,' mompelde een grote dikke agent met een zandkleurige snor.

'Maar waaróm heb je dit nou weer uitgespookt?' vroeg Van Wamsveld. 'Denk je dat wij niks beters te doen hebben dan jou op je vingers te tikken? Wat is dit nou opnieuw voor flauwekul?'

'Het was een geintje,' stamelde Bernie.

'Leuk geintje!' zei Van Wamsveld. 'Die auto is binnengereden bij de slager! De deur is geramd! Er is een behoorlijke schade!'

'Ik begrijp er niks van,' zei Bernie. 'We... Ik, bedoel ik. Ik had die tuinkabouter gewoon achter het stuur gezet! Voor de gein! Zodat het net leek alsof-ie daar zelf was gaan zitten! Maar toen... Ik begrijp niet hoe die auto is gaan rijden...'

'Rotjoch,' zei de agent met de zandkleurige snor. 'Tuinkabouters jatten! Ik heb er zelf een in mijn tuin, ja! En daarna dacht jij fijn een stukje te gaan rijden!'

'Rustig, Vroonshoop,' zei Van Wamsveld. 'We weten wel genoeg. We zullen z'n ouders bellen. En nou gaan we voor jou iets heel uitzonderlijks doen, ventje: jij mag eens bestuderen hoe een cel eruitziet. Misschien steek je d'r wat van op.'

En dus zat Bernie te wachten in een cel. Tot nu toe had hij altijd een waarschuwing gekregen; dit was de eerste keer dat ze hem opsloten. De cel was kaal en lelijk. Er zaten tralies voor het raampje. Iemand had een scheldwoord op de wand gekalkt.

Van Wamsveld kwam binnen en Bernie kreeg een beker thee met een gevulde koek.

'Met die koek heb je mazzel,' zei de agent. 'Iemand is er jarig.'

'Dank u wel,' zei Bernie.

'Jij bent een echte apenkop!' ging Van Wamsveld door. 'Ik was vroeger ook niet altijd braaf hoor. Maar wat jij allemaal uitvogelt... Jij denkt misschien dat we dat toch niet doorhebben. Maar we weten veel, kereltje! Dus ik zou mij de komende tijd maar eens heel rustig houden. Anders kom je nog terecht in het tuchthuis.'

'Het tuchthuis?'

'Precies ja. Daar gaan knaapjes heen die zich niet gedragen.'

Van Wamsveld vertrok weer. Bernie dronk zijn thee.

Niet veel later werd de deur opnieuw geopend en daar, naast Van Wamsveld, stond zijn vader. Meneer King leek zeer verdrietig.

'Lieve, lieve jongen,' zei hij hoofdschuddend. 'We hebben altijd zó ons best gedaan. En nu dan dít...'

Het was alsof hij elk moment in een huilen kon losbarsten.

'De Here zal je straffen!' riep hij theatraal. 'De Here ziet iedere misstap, elk vergrijp! Ik zal bidden om jouw beterschap! Laten we samen we bidden!'

'Nou nou, kom kom,' mompelde Van Wamsveld. 'Laten we niet overdrijven. Neem 'm nou maar mee en zorg dat 't niet nog een keer gebeurt. O ja. De schade moet nog wel vergoed worden. De deur van de slagerij. De motorkap van de auto. En die tuinkabouter was ook kapot. Een hele lijst. Afijn, u krijgt een rekening toegestuurd.'

'Dank u wel, agent! Het is in wezen een beste jongen, maar

u weet het: niemand is zonder zonden.'

'Zo is 't, meneer.'

'Wij omringen hem met liefde, agent! We prenten hem dagelijks in dat hij respect moet hebben. Ik weet werkelijk niet wanneer hij ten prooi gevallen is aan de duivel.'

'Niet overdrijven, meneer. 't Was gewoon een apenstreek. Gaat u nou maar weg.'

Voor zijn vader uit liep Bernie naar buiten.

Toen hij eenmaal naast zijn vader in hun auto zat, werd de toon waarop meneer King sprak plotseling volkomen anders.

'Snotaap!' siste hij woedend. 'Wil je dat de politie bij ons thuis komt? Wil je dat ze doorkrijgen hoe ik mijn geld verdien? Hoe ik me in het zweet werk om jullie eten op tafel te krijgen? Hè?! Wil je soms dat we allemaal de bak indraaien?! Wil je dat?!'

'Nee, pa,' zei Bernie zacht.

Even hief zijn vader zijn hand omhoog, en Bernie zette zich schrap.

'Nooit meer tv!' blafte meneer King. 'En zakgeld of iets dergelijks kun je wel vergeten!'

'Het spijt me, pa.'

In stilte reden ze naar huis. Bernie keek nukkig uit het raam. Hij bedacht dat hij nog nooit zakgeld had ontvangen. Dat was ook de reden dat hij altijd in dezelfde afgedragen kleren liep en, als een van de weinigen in de klas, nog geen mobieltje had. Hoog boven het dorp, zag hij nu, vloog een troep ganzen. En ze vlogen niet in een V, zoals ganzen horen te doen, maar in een B.

7

Mevrouw King stond in de keuken. Ze zag Bernie de gang in komen, ze begon meteen te kijven.

'Jij hoeft niet te denken dat je nog avondeten krijgt! Hoe moet ik de slager nou nog onder ogen komen? Hè?! Heb je dat wel eens bedacht?'

'Sorry, ma.'

'Ik kan me daar niet meer vertonen! Iedereen kijkt me straks na! Heb je dááraan gedacht? Hè?!'

'Nee, ma.'

Jane kwam af op het geschreeuw. Somber stond ze toe te kijken.

'Naar je kamer!' blafte meneer King nu. 'Ik wil je niet meer zien. En ik wil je niet meer horen! En ook niet meer ruiken! Ik wil dat je niet meer *bestaat*! Kleine duivel! Jij dwarsboomt het werk van de Heer! Hoe zou je het vinden als de politie de boel hier kwam doorzoeken? O lieve Heer, laat dat toch niet gebeuren! Vergeef toch Uw afgedwaalde lam!'

En daardoorheen bleef mevrouw King maar schreeuwen: 'En waar moet ik nu mijn vlees kopen? Nou?! Hoe moet 't nou verder met mijn vlees?'

Bernie holde haastig naar zijn kamer. Daar ging hij liggen.

Eindelijk wat rust. Vanuit de woonkamer hoorde hij gerinkel van servies, en daarna de gebruikelijke schrokgeluiden. Hij vroeg zich af of het normaal was dat ganzen in andere letters vlogen dan een V. Weer overviel hem dat gevoel, dat er iets helemaal niet in orde was.

'Sjakie,' zei Bernie tegen de slak. 'Ben jij het soms?'

Even leek de slak zijn oogsprieten te strekken. Veel reactie was het niet.

'Onzin,' zei Bernie tegen zichzelf.

Hij was wat flauw, want hij had honger.

8

Zijn moeder had geen ongelijk gehad met haar geschreeuw; toen Bernie de volgende dag bij de bakker een puddingbroodje wilde pakken, zei de vrouw achter de toonbank: 'Zeg apenkop! Blijf even met je tengels van die broodjes!'

Bernie trok zijn hand geschrokken terug.

Daarna werd het broodje ingepakt, en het zakje werd voor hem neergesmeten.

Kauwend liep hij vervolgens over de Grote Markt, het dorpsplein. Meneer Van der Wurf – een bonkige, bejaarde kerel – wandelde langs.

'Aap van een jongen!' bromde de man.

En hij dreigde met zijn wandelstok.

Bevreemd keek Bernie hem na.

Hij kon niet anders concluderen: iedereen wist intussen van zijn laatste grap. En er was iets omgeslagen in het dorp. Was hij eerst nog door iedereen op een gemoedelijke manier 'aap' genoemd, nu klonk hetzelfde woord een stuk kwaadaardiger.

De enige bij wie hij hierover kon klagen, was Tessa. En dat deed hij dan ook, een paar middagen later, slenterend over de straat.

'Tja,' zei Tessa. 'Ik heb het ook wel mensen horen zeggen.

Er wordt behoorlijk over je gepraat. Er zit maar één ding op.'

'Wat dan?'

'Je moet je gaan gedragen.'

'Jakkes!'

'Niks aan te doen, Bernie. Je moet aardig zijn. En dat moet je blijven, hoe vervelend sommige mensen ook terugdoen.'

'Aardig... Moet 't echt?'

Tessa grinnikte.

Mevrouw Penning – de vrouw van de burgemeester – schuifelde langs.

'Dag mevrouw Penning!' riep Bernie. 'Moet ik u soms helpen oversteken?'

Mevrouw Penning leek hier even van te schrikken.

'Brutale aap,' zei ze toen, haar rug rechtend. 'Denk je dat ik tachtig ben?'

'Ik weet niet,' antwoordde Bernie. ''t Is nogal moeilijk te zien.'

Gepikeerd stapte mevrouw Penning verder. Tessa lachte proestend.

'Nu was ik toch best aardig,' zei Bernie met een grijns.

'Misschien kun je nog maar 't beste niets meer doen,' zei Tessa.

'Dat zei mijn vader ook,' zei Bernie. 'Zorg dat je niet meer bestaat, zei hij...'

Ze liepen binnen bij snackbar *De Biesterburger*. Ze bestelden een kroket.

Toen de kroketten kwamen namen ze meteen een hap. Blazend, want die kroketten waren heet, stonden ze te kauwen. Zonder dat iemand het merkte, diepte Bernie iets op uit de zak van zijn jas.

'Gádver!' riep hij hard.

Er waren op dat ogenblik vier mensen binnen: de eigenaar, die Fred heette, een slungel bij de flipperkast en Tessa en Bernie. Fred zowel als de slungel keken verbaasd in Bernies richting. Tessa keek een andere kant op.

'Moet je kijken, Fred!' zei Bernie. 'Moet je kijken wat ik vind in die kroket!'

Hij hield, bungelend aan een poot, het verdroogde lijkje van een kikker in de lucht.

'Wah... Wah krijgen we nóu?' stamelde Fred.

Hij was een blonde dikkerd met een borstelsnorretje en een hangende pens. Met zijn openstaande mond leek hij nog dommer dan gewoonlijk.

'Dit!' zei Bernie triomfantelijk. 'Dit vis ik er zo uit! Een *dooie kikker*!'

Tessa gilde; en het was niet duidelijk of dit van schrik was of van een gesmoorde schaterlach.

'Jij bent erg!' riep ze, toen ze wat later buiten liepen. 'Jij bent écht erg!'

'Twee weken gratis friet, konijntje,' zei Bernie, en hij hield een grote zak omhoog.

'Dat hoofd van Fred!' riep Tessa. 'Alsof-ie die kikker net had doorgeslikt! Waar had je dat ding vandaan?!'

Bernie haalde zijn schouders op.

'Gewoon. Die zat bij mijn verzameling.'

Opeens werd Tessa ernstig.

'Bernie, je moet nu kappen.'

'Twee weken gratis friet,' herhaalde Bernie. 'Op voorwaarde dat we d'r niks over vertellen. En heus, Fred zelf zal ook zijn mond wel houden.'

'Weet ik. Maar je kunt niet doorgaan zo.'

'Waarom niet?'

'Omdat 't een keer echt verkeerd gaat.'

'Verkeerd? Stel je niet aan.'

'Je moet ophouden. Het hele dorp noemt je nu kleine aap. En dat klinkt allang niet leuk meer, dat heb je zelf gemerkt. Waarom *doe* je dit soort dingen toch altijd?'

'Omdat ik er zin in heb.'

'Maar ík ben er telkens bij! En ík vind 't vervelend.'

'Nee, konijntje. Jij vindt 't leuk.'

'Soms.'

'Ik weet dat jij dat vindt,' ging Bernie door. 'Omdat je een meisje bent vind jij het leuk.'

'Waar slaat dát nou weer op?!'

'Meisjes kijken nou eenmaal tegen jongens op. Dat komt omdat ze minder kunnen.'

'Wat een onzin! Meisjes kunnen *andere* dingen dan jongens!'

'Zoals wat?'

'Weet ik veel. Andere dingen.'

'Ja hoor. Intelligent beantwoord. Wat gaan we nu doen?'

'We gaan de weilanden in. Daar kun jij geen brokken maken.'

9

Achter de achtertuin van Bernies huis stonden dertien grote eiken. Daar weer achter waren de weilanden. Daar stond een aantal hoogspanningsmasten, weglopend in een rij. In deze uithoek van het dorp gingen de kabels over de huizen heen. En dus hingen ze hoog boven de tuin van de familie King, waardoor er altijd een elektrisch, gonzend gezoem klonk door de buurt.

Ze liepen onder de eikenbomen door. Daar raapte Bernie in het voorbijgaan iets van de grond.

'Weer een slak,' zei hij. 'Een gewone. Wil je die andere trouwens zien? In m'n kamer?'

'Ik wil frieten eten in het weiland,' zei Tessa. 'Dáár heb ik zin in.'

'Tjee, wat een interesse!' zei Bernie met een verachtelijke trek om z'n mond. 'Nou goed...'

Hij zette de slak tegen de stam van een eik.

'Anders trapt er nog iemand op,' zei hij.

Het verraste Tessa telkens weer dat Bernie zo van dieren hield. Hij was, bedacht ze, misschien wel aardiger voor dieren dan voor mensen.

De slak werkte zich intussen verrassend snel langs de stam omhoog. Verbluft zagen ze hem wegglijden tussen de eikenbladeren.

'Kijk eens aan,' zei Tessa. 'Slakken zijn toch sneller dan we dachten. En nu wil ik gaan eten.'

De koeienvlaaien ontwijkend liepen ze verder door het gras.

Uiteindelijk gingen ze zitten. De lucht was donkerblauw en helder. De wind ruiste in vlagen over glimmend gras en koeien stonden rustig in de buurt te grazen.

'Toch vind ik het wel vreemd,' zei Bernie kauwend. 'Die slak met handjes, bedoel ik. Die doet me ergens toch aan Sjakie denken.'

'Er is weer iemand verdwenen,' zei Tessa.

'O ja? Wie dan?'

'Een kind uit Erenbeemt. Dat stond gisteren in de krant. Met een oproep van de ouders. Die vroegen iedereen die wat gezien had zich te melden.'

'Erenbeemt ligt hier vlakbij.'

'Weet ik,' zei Tessa. 'Er stond een foto bij. Een blond meisje met krulletjes. Ik kende d'r niet.'

Er tikte iets hards op hun hoofden.

'Hagel,' mompelde Tessa verwonderd. Ze had een korrel uit haar haar geplukt. 'En er zijn niet eens wolken.'

Bernie tuurde om zich heen. In de verte zag hij iemand komen. Het was nog maar een silhouet, maar hij herkende haar direct: daar kwam mevrouw Zwellengrebel. Met een damesfiets naast zich stapte ze over een pad dat uitkwam bij de Biesterkrimpse Achterweg. Haar blondgrijze haar woei in slierten op. Ze droeg een zwarte bontjas.

Toen ze dichtbij genoeg was wuifde ze. Aarzelend wuifden ze terug.

'Wat is dat in haar mand?' vroeg Bernie.

In de mand aan haar stuur zat iets wolligs en wits, moeilijk zichtbaar door de spijlen. Mevrouw Zwellengrebel beende verder. En nu pas zagen ze dat er in die mand een kleine hond zat. Een poedel.

'Ik wist niet dat ze een huisdier had,' zei Bernie.

De poedel jankte kort. Mevrouw Zwellengrebel scheen iets te zeggen, want bijna meteen hield het beest weer op.

'Die mand is dicht,' zei Tessa. 'Wel stom. Waarom laat ze dat beest niet gewoon meelopen?'

Langzaam verdween mevrouw Zwellengrebel uit het zicht. Toen Tessa en Bernie omkeken was er geen koe meer in de buurt. De hele kudde was over een sloot gesprongen. Heel in de verte stonden de dieren op een kluitje, half verscholen achter een van de hoogspanningsmasten.

10

Sindsdien lette Bernie iets meer op het doen en laten van zijn buurvrouw. Enkele malen nog zag hij haar wandelen met haar hond. Wandelen was niet echt het juiste woord; het beest werd meestal voortgesleurd. Soms probeerde het weg te rennen, dan werd het met een vinnige ruk teruggehaald, waarbij het dunne nekje bijna werd gewurgd.

'Hier jij!' grauwde mevrouw Zwellengrebel dan.

Op een middag liep Bernie over straat toen hij mevrouw Zwellengrebel weer in de verte zag. Zoekend keek ze rond.

'Keesje!' riep ze. 'Keesje, kom dan! Kom bij 't vrouwtje!'

Ze kreeg Bernie in 't oog.

'Ach jongen,' zei ze, naar hem toe komend. 'Heb jij toevallig mijn Keesje gezien?'

'Keesje, mevrouw Zwellengrebel?'

'Ja, mijn hondje. Hij is weggelopen. Ik ben zó ongerust!'

Mevrouw Zwellengrebel keek heel treurig.

'Keesje,' zei Bernie. 'Is Keesje een mannetje?'

'Natuurlijk,' zei mevrouw Zwellengrebel.

Ze droeg een jas van panterbont. Hoog torende ze boven hem uit. In de wind boven hun hoofden hoorde Bernie nu tonen; een naargeestige, ijle fluitmuziek klonk door de buurt...

'Hij is op zoek naar een vrouwtje, denk ik,' zei mevrouw Zwellengrebel hard. 'Daarom is hij ontsnapt. Want Keesje en ik kunnen verder heel goed met elkaar opschieten. Heb je 'm echt niet gezien?'

'Nee mevrouw.'

'Dan zoek ik maar weer door,' zei ze zuchtend. 'O ja, Bernie. Als je zin hebt om eens naar mijn terrarium te komen kijken, dan mag dat best. Er zitten ook zeldzame giftige salamanders in.'

Voor het eerst keek ze hem rechtstreeks aan. Haar ogen waren donkergeel. Ze fonkelden op een vreemde manier en even kreeg Bernie het gekke idee dat hij er niet te lang in moest kijken. Hij wendde vlug zijn hoofd af

'Dank u,' zei hij. 'Ik kom wel eens langs.'

Aan de overkant van de straat gingen nu mannen, sjouwend met ladders en emmers. Bernie was blij dat die glazenwassers daar liepen.

'Dag jongen,' zei ze.

Weer keek ze hem even aan met een blik die een rilling langs zijn rug veroorzaakte.

'Doeg,' zei Bernie.

En ze liep door, om zich heen turend en soms de naam roepend van haar hond. Bernie merkte dat er zweet stond op zijn voorhoofd.

De muziek stierf weg en de wind woei als voorheen.

II

'Keesje!' zei hij die middag tegen Tessa. 'Ze noemde die hond Keesje! Maar míj houdt ze niet voor de gek.'

'Hoezo?' vroeg Tessa verstrooid.

Ze zaten op haar kamer. Tessa at haar zoveelste boterham met jam, Bernie dronk cola.

'Die hond,' zei hij plechtig, 'is dat meisje uit Erenbeemt.'

Tessa gniffelde.

'Doe normaal, Bernie! Dat denk je toch niet echt?'

Even grinnikte Bernie mee.

'Ach...' zei hij. 'Het is wel erg toevallig allemaal, als je erover nadenkt. Die slak. En die koeien die voor haar wegvluchtten. Zelfs wij zijn bang voor dat mens. Ze zal dus wel een heks zijn.'

Tessa lachte spottend.

'Ja hoor, tuurlijk joh. Leuk bedacht. *Jij* bent trouwens bang voor dat mens, niet ik. En volgens mij houdt ze best van dieren. Ze was toch ongerust om haar hondje?'

'Ze draagt bont,' zei Bernie. 'Echt van die jassen voor een dierenliefhebber.'

'Dat zegt niks.'

'Natuurlijk zegt dat wat! Als je van dieren houdt dan draag je toch geen vuile, rottige bontjassen?'

'Onze buurman,' zei Tessa, 'had een vijver met vissen. Daar hield hij echt van, van die vissen. Dus dat is volgens jou een dierenliefhebber, toch?'

'Zeker weten,' zei Bernie.

'Toen kwam er op een dag een reiger,' vervolgde Tessa. 'En die reiger heeft die hele vijver leeggegeten. Alle vissen weg. De buurman vertelde toen aan mijn vader dat hij het liefst een geweer was gaan kopen om op reigers te gaan schieten.'

'O,' zei Bernie. 'Tja...'

'En wat dacht je van mensen die jagen?' ging Tessa verder. 'Die mensen houden best van hun hond. Maar een arme haas of een prachtige vos, die knallen ze zo neer.'

'Hm,' zei Bernie.

Hij bedacht weer eens dat ze zo stom nog niet was. Voor een meisje.

'Mensen maken de regels gewoon zoals ze daar toevallig zin in hebben,' zei Tessa. 'De één houdt van vissen, maar niet van reigers. De ander houdt van honden, maar draagt toch rustig bontjassen van andere dieren. Mensen zijn volkomen idioot en achterlijk wat dieren betreft. Ze houden beesten in afschuwelijke kooien of ze slachten koeien of ze schieten op ganzen. Mensen doen precies zoals het hun zelf het beste uitkomt... En trouwens, heksen bestaan niet.'

'Hoe kom je dáár nou bij?' vroeg Bernie verbaasd. 'Je gelooft toch niet alleen maar wat je ziet?'

Tessa haalde haar schouders op. Bernie, wist ze, zou nu net zolang praten totdat híj gelijk kreeg. Want daarnet had zij 't van hem gewonnen en eigenlijk kon hij dat niet uitstaan.

'Heb je ooit de wind gezien?' vroeg Bernie.

'Eh... nee.'

'En heb je ooit een cel gezien?'

'Een wat?'

'Een cel! Van die hele kleine deeltjes, waar we van zijn gemaakt.'

'Oké,' zei Tessa. 'Ik begrijp heus wel wat je wilt zeggen.'

'Als je erover nadenkt,' zei Bernie, 'zijn er zat dingen die je alleen maar kent omdat andere mensen je erover hebben verteld. Heb je ooit een virus zien lopen? Of geluid zien vliegen?'

'Ja, hou nou maar op.'

'Dat bedoel ik. Misschien bestaat er dus ook wel zoiets als toveren, ook al heb je dat nog nooit gezien. Waar komen anders die verhalen vandaan?'

'Verhalen?'

'Over toverende jongetjes en vliegende bezemstelen. Van die boeken die iedereen in onze klas leest. Wil jij dan beweren dat die boeken vol met leugens staan?'

'Och,' zei Tessa. 'Eigenlijk wel, ja...'

'Ik bedoel gewoon,' ging Bernie verder, 'dat er veel gekke dingen zijn gebeurd de laatste tijd. Ik heb op een nacht een regenboog gezien. En die hagelstenen in dat weiland, daar was je bij! En ik heb ganzen in een B zien vliegen.'

'In een B?'

'Ja. In plaats van in een V.'

Tessa dacht even na.

'Ja ja,' zei ze. 'En soms lijkt het net alsof auto's gejat worden door tuinkabouters. Maar ís dat dan ook zo?'

Bernie schudde zijn hoofd. Daar had hij niet van terug.

'Soms,' zei Tessa, 'soms lijken dingen gewoon net even anders dan ze zijn. Dan hoef je niet meteen in toveren of heksen te geloven.'

'Laten we naar buiten gaan.'

'Mij best,' zei Tessa.

Het was een sombere, bewolkte dag. Als vanzelf liepen ze weer in de richting van de velden. Het was daar prettiger dan in het dorp, waar Bernie altijd kans liep door iemand te worden uitgemaakt voor 'apenkop'.

12

Tessa had een stukje mee naar school genomen dat ze uit *De Biesterkrimpse Bazuin* had geknipt. *Mevrouw Zwellengrebel gekozen tot voorzitter van het comité 'Help een Weeskind'* stond erboven.

Met een foto van het mens zelf.

Ze zaten in de klas. Tessa, die schuin achter 'm zat, gaf het stukje met een glimlach aan Bernie.

'Help een weeskind!' fluisterde ze. 'Ja, dat soort dingen doen alleen de meest gevaarlijke heksen.'

'Hé aapje!' zei een meisje dat door iedereen 'marmot' werd genoemd.

'Wat?' vroeg Bernie.

'Jouw beurt.'

Bernie keek op; voor in de klas had meester Kokelberg een microscoop gezet.

'Komt er nog wat van?' vroeg de meester.

Bernie liep naar voren en boog zich over de microscoop. Hij zag een paar doorzichtige bolletjes.

'Dat zijn dus rode bloedcellen,' legde de meester uit. 'Ook wel bloedlichaampjes genoemd. Ik herhaal het maar even, want je zat best wel weer niet op te letten. Dit heet een preparaat. Gezien? Mooi. En nu de volgende.'

Bernie liep terug naar zijn plek.

'Heb je ooit een cel gezien?' fluisterde Tessa, nadat hij was gaan zitten.

''t Is al goed,' zei Bernie knorrig. 'Ik weet 't ondertussen wel.'

Ja, natuurlijk was het kletskoek. Mevrouw Zwellengrebel was een doodnormale dame met een voorkeur voor bont. Keesje was een mannetjespoedel. Slakken met handjes waren bijzonder, maar kwamen vaker voor. En regenbogen konden 's nachts ontstaan.

Er verdwenen ook geen kinderen meer. De sfeer in de klas was nog steeds een beetje bedrukt, soms, maar iedereen leek het toch alweer grotendeels te zijn vergeten. Aan Sjakie Smeets werd nauwelijks meer gedacht.

Toen Bernie die middag naar huis liep, was de hemel geel. Twee overvliegende meeuwen krijsten opvallend schel en de rozenbottelstruiken langs de weg zaten vol met stekels, waardoor de takken op spinnenpoten leken. Het was allemaal gewoon, en tegelijkertijd was het dat niet. Alles bij elkaar leek het meer op een benauwde droom, en Bernie tuurde telkens om zich heen, telkens keek hij haastig achter zich, waar niks bijzonders was te zien. Maar er híng iets bedreigends in die banaankleurige wolken, iets wat hem schichtig maakte. Hij begreep niet goed waar het vandaan kwam, dat gevoel. Het was echt iets van de laatste tijd.

Agent Van Wamsveld kwam hem tegemoet gefietst. De agent wees in Bernies richting en trapte door. Bernie begreep het gebaar best. Het betekende: 'Ik blijf je in de gaten houden, jongetje.'

Even was hij bijna blij dat die agent daar langsgleed, want dat was tenminste normaal...

Thuis lag Jane kauwend op de bank in de woonkamer. Ze lag vaak op die bank, dof voor zich uit te staren. Een enkele keer voerde ze een gesprek met een vriendin, want zíj was in het bezit van een mobieltje, zij wel. Dat ze dat ding maar zelden gebruikte was omdat ze meestal het geld niet had om beltegoed te kopen.

Jane was veertien; drie jaar ouder dan hijzelf. Ze zat nog op dezelfde school, want ze was al twee keer blijven zitten. Ze vrat wat ze te pakken kreeg en soms, op haar kamer, speelde ze nog met poppen. Bernie kwam naast haar staan.

'Zo aapje,' zei ze loom.

'Zo dikke pad,' zei Bernie. 'Maak je je niet te druk?'

'Sodemieter op,' zei Jane. 'Ga je vrienden vervelen.'

'Waarom lees je niet iets boeiends en leerzaams? Iets waar je later nog veel aan zult hebben?' vroeg Bernie.

'Een boek,' zei Jane. 'Haha.'

Ze nam een hap van een augurk. Bernie nam niet de moeite haar om een hap te vragen. Hij wist wat ze zou antwoorden.

In zijn kamer ging hij liggen lezen. Hij las *De avonturen van Bob, de detective-gorilla*. Dat was een prachtboek, hij las het nu al voor de derde keer. Het speelde in het oerwoud, waar die gorilla iedereen te slim af wist te zijn.

Misschien, dacht Bernie, was dat ook de reden dat dat beest zo vaak alleen was, net als hijzelf. Mensen – en dieren blijkbaar ook – hielden niet van soortgenoten die te scherpzinnig waren, dat was wel duidelijk.

Bernie vond zichzelf best intelligent. Hij spande zich nooit in voor school, toch haalde hij redelijk goeie cijfers. En hij had het gevoel dat hij de meeste mensen wel doorzag; dat hij begreep hoe de meeste mensen in elkaar zaten. Van zijn vader bijvoorbeeld wist hij heel goed dat die God gebruikte om zichzelf schoon te praten. En van meester Kokelberg begreep hij dat die vaak humeurig was omdat hij liever keek naar sport op de tv dan dat hij voor de klas stond. Van Tessa wist hij best dat ze zelf ook nogal eenzaam was en daarom altijd met hem optrok.

En iemand als zijn buurvrouw...? Dat was lastiger. Wat ging er eigenlijk in haar om? Was ze echt een vriendelijke oude dame die salamanders hield en zich inspande voor weeskinderen? En waarom eigenlijk moest hij nu alwéér aan dat mens denken...?

Op die laatste vraag kon hij een antwoord geven: het boek kwam van mevrouw Zwellengrebel. Ongeveer een week nadat ze zich had gevestigd in het dorp was ze kennis komen maken. Ineens had ze voor de deur gestaan, met een grote ham en met het boek.

'Het boek is voor de kinderen en de ham is voor de ouders,' had ze gezegd.

Zijn moeder had de spullen aangenomen, een beetje achterdochtig, maar ach, een gratis ham was altijd welkom. Verder dan de gang was mevrouw Zwellengrebel trouwens niet gekomen, want zijn ouders waren geen mensen die bezoekers binnen haalden.

De volgende avond hadden ze die hele ham verslonden en Bernie had, als enige in huis, het boek willen hebben...

Wat, vroeg hij zich nu af, had Bob de detective-gorilla gedaan als er bij hem in de buurt iemand als mevrouw Zwellengrebel had gewoond?

Bernie wist meteen het antwoord: Bob had het er niet bij laten zitten. Bob zou *zekerheid* hebben gewild. Bob was op onderzoek uitgegaan.

Bernie kwam overeind. Zijn kamer was aan de voorkant van het huis. Je keek uit over de straat, maar als je naar links keek lag daar het oude huis.

Een paar minuten lang tuurde hij naar de brokkelige muren. Hier en daar groeide er klimop tegenaan.

Als vanzelf liep hij naar buiten. Vanaf de straat stond hij opnieuw te kijken. De ramen van het huis waren klein, waardoor het iets weghad van een bunker. Dat had hem eerder al nieuwsgierig gemaakt. Die ielige raampjes waardoor je niks zag, die zorgden ervoor dat je echt benieuwd werd naar wat zich binnen die muren bevond...

Maar waarschijnlijk was er niks bijzonders. Waarschijnlijk dronk mevrouw Zwellengrebel haar thee in een keurig interieur, en ze verzorgde er haar Zuid-Amerikaanse salamanders.

Verhip, ze had hem uitgenodigd! Ze had hem gevraagd om naar die beesten te komen kijken. Natuurlijk! Dát zou Bob hebben gedaan! Bob zou gewoonweg hebben aangebeld, en daarna zou hij kalmpjes binnen hebben rondgeneusd.

Bernie opende het tuinhek, aarzelde even en liep toen over het pad naar de voordeur van het oude huis.

Maar naarmate hij dichterbij kwam, liep hij steeds trager. De deur was hoog en rond vanboven. Eigenlijk een soort van poort, met erin een driehoekige ruit. Bernie nam nog een stap. En bleef toen staan.

Het was gewoon een deur. Een doodgewone deur in een doodgewoon oud huis. Niks om angstig voor te zijn. Toch was het net of iets hem waarschuwde...

'Stel je niet aan!' sprak hij hardop.

Hij nam een aarzelende stap.

Zo'n drie meter nog maar. Er in zat ook een brievenbus. Misschien kon hij daar even door naar binnen gluren. Misschien was dat verstandiger dan stomweg aanbellen...

Nog een stapje.

De deur leek nu opeens op een enorme muil. Een muil die hem zou opslokken als hij er dichterbij zou komen. Die Bob was toch niet helemaal normaal, dat hij telkens weer op onderzoek uitging. Een detective-gorilla! Waarom vrat dat beest niet lekker z'n bananen? Dat boek was bij elkaar gefantaseerd door een idiote kinderboekenschrijver. Tessa had gelijk gehad;

kinderboeken stonden vol met leugens...

Nog een heel klein stapje.

Toen klonk er aan de andere kant van die griezelige deur een bons. Bernie dook ineen. Er klonken voetstappen, en een stem. Heel zacht werd er geroepen.

'Help...'

Vervolgens gloeide een groen licht op achter de ruit.

Bernie rénde terug naar de straat.

13

Die avond zat hij stil aan tafel.

'Heer, bedankt voor al het eten,' zei zijn vader. 'Ga vooral zo door met Uw goede giften. Zorg dat ik wat meer verdien en zorg ook dat Bernie, Uw nederige dienaar, geen stomme streken uithaalt. Amen en de groeten thuis.'

Waarna ze aanvielen op de stukken pizza inktvis; iedereen, behalve Bernie.

'Waddissermejou?' vroeg mevrouw King met overvolle mond.

'Geen trek,' antwoordde Bernie.

'De Here heeft gezegd: "Gij zult in het zweet uws aanschijns eten!"' zei meneer King, die zijn voedsel zoals gewoonlijk naar binnen werkte zonder kauwen.

'Ja ja,' zei Bernie.

'Hij heeft natuurlijk weer patat gegeten,' zei zijn zus.

'Is dat zo, jongen? Heb jij weer patat gegeten?'

Bernie haalde zijn schouders op.

'In dat geval is er des te meer voor ons,' zei mevrouw King, die haastig een driehoek naar haar bord verhuisde.

'Jij moet wel een bijzonder goede vriend zijn van de man van de snackbar,' zei meneer King argwanend. 'Altijd maar gratis patat. Je *steelt* het toch niet, hè?'

'Hoe kun je nou in godsnaam een zak patat stelen?' vroeg Bernie korzelig.

'Zeg jongen! Eert uw vader en uw moeder! Let op je toon, ja! En misbruik de naam van de Here niet.'

'Sorry pa,' zei Bernie gauw.

'Geeft niet, vent,' zei meneer King. 'Als niemand het merkt, is het de zondaar vergeven. Want zij die onwetend zijn tasten lelijk in het duister. Zeg, ik heb vandaag toch een zaak gedaan: ik heb wel vijftien kilometer strand verkocht!'

En enthousiast begon hij te vertellen over zijn zoveelste bedrog.

14

De volgende ochtend was Bernie niet erg fit. Hij had veel liggen woelen. De paar keer dat hij in slaap gevallen was, had hij gedroomd dat Bob, de detective-gorilla, langzaam werd gevild door mevrouw Zwellengrebel, omdat ze een jas wilde maken van gorillabont. En als de huid van Bob er dan bijna was afgestroopt, riep Bob heel zachtjes: 'Help!' En zwetend was Bernie wakker geworden.

Toen het eindelijk licht werd buiten was hij opgestaan. Hij had weer voor het raam staan turen. Op de een of andere manier, zo leek het, werd hij aangetrokken door dat mysterieuze huis. Iets leek hem te waarschuwen, en iets anders duwde hem erheen... Maar er was niks bijzonders aan te zien geweest, geen groen licht achter de ramen, geen enkele beweging, niks.

Naast de koelkast, in de keuken, dronk Bernie een glas melk. Zijn keel was rauw en hij voelde zich zweverig. Terwijl hij daar stond kwam zijn vader naar beneden in een gestreepte pyjama en met een ouwelijk hoofd, want meneer King was zijn koffiekleurige toupet vergeten.

'Zo jong. Gezegende morgen. Ik ben blij dat je voor één keer wat vroeger uit de veren bent.'

'Ik voel me niet echt lekker,' zei Bernie.

'O? Ja, je klinkt wat schor. Nou, dan moet je weer in bed gaan liggen. Ik zal je gedenken in mijn gebeden.'

'Fijn,' zei Bernie.

Hij liep terug naar zijn kamer. Daar kroop hij weer onder de lakens.

Na enige tijd kwam zijn moeder binnen.

'Ben je ziek?' vroeg ze.

Bernie knikte.

'Nou, blijf dan maar liggen. Ik moet wat boodschappen gaan doen. Zal ik iets voor je meenemen?'

Mevrouw King kwam niet in zijn buurt, en Bernie wist waarom dat was: ze had een hekel aan zieke mensen.

'Drinken,' zei Bernie. 'Cola.'

'Je moet juist eten,' zei zijn moeder hoofdschuddend. 'Mensen die goed eten hebben nooit iets. Ik zal een paar sukadelappen kopen.'

Dit was eeuwig mevrouw Kings medicijn; ze voelde zich op haar gemak bij mensen met appelwangen, ze hield van vetrollen en onderkinnen.

'Mij best,' zei Bernie en mevrouw King verdween.

Bernie wachtte tot hij de voordeur van het huis drie keer had horen klappen; de eerste keer was voor zijn vader, de tweede keer was voor zijn zus en de derde keer was voor zijn moeder. Nu was iedereen vertrokken. Bernie kleedde zich aan, deed het raam van zijn slaapkamer open en hield de straat in de gaten.

Een halfuur later al verscheen de buurvrouw, in een jas van zebrabont. Ze was alleen; blijkbaar had ze Keesje niet meer teruggevonden. Waardig schoof ze weg in de richting van het dorpscentrum.

Bernie liep naar de achtertuin. Even stond hij naast de heg, kijkend naar haar huis. Het leek alsof de muren zachtjes op en neer gingen. Maar Bernie begreep wel dat het zijn eigen, nogal heftige ademhaling was waardoor de dingen om hem heen bewogen.

Het enige wat hij verlangde, wat hij nu zelfs dólgraag wilde, was om daar door een van die raampjes te kunnen gluren. Hij voelde dat dat al zijn vragen zou beantwoorden. En dus kroop hij door een gat in de doornheg, en voor het eerst in zijn leven was hij blij dat hij tamelijk klein van stuk was. Er bleef een doorn steken in zijn arm en hij riep: 'Au!' Geschrokken van zijn eigen uitroep keek hij om zich heen, maar er leek niemand in de buurt te zijn.

Toen stond hij in haar tuin. De oranjerode bloemen die mevrouw Zwellengrebel persoonlijk had ingezaaid waren inmiddels groot geworden. Pas nu Bernie erdoorheen waadde viel hem dat op; ze reikten tot zijn middel.

Bij één van zijn voeten voelde hij iets bewegen. Liep daar een kikker? Of een muis? Nee... Hij zag alleen maar bloemen...

Voorzichtig sloop hij in de richting van de achtergevel. En

weer bewoog er iets, vlak bij zijn knie. En direct daarna nog iets, achter zijn kuiten...

Ineens schoot een felle pijn door zijn linkerbovenbeen; een bloem had zich daar vastgegrepen. Bernie gaf een gil; het ding knauwde als een vraatzuchtig roofdier aan zijn spijkerbroek. Direct daarna werd hij van achteren gebeten, dit keer in zijn bil.

Schoppend, en zo hoog mogelijk springend, rende hij naar het achterterras van het oude huis. Daar kwam hij heelhuids aan; zijn broek had de ergste aanvallen doorstaan.

Hijgend keek hij naar de bloemen. Die stonden stuk voor stuk wijd opengesperd, en allemaal gericht naar hem; als een troep wolven leken de bloemen hem aan te staren, met hongerige bekken. Ze maakten een zacht knarsend geluid. Uit sommige van die bekken, zag hij nu, hingen vleugels van vogels of staarten van muizen.

'Dat mens is gek!' mompelde Bernie naar adem happend. 'Totaal krankjorum! Wie zet er nou vleesetende planten in z'n tuin...'

Wat nu?

Naar binnen gluren ging niet, niet vanwaar hij zich op dit moment bevond; het terras grensde aan een kaal stuk muur. Terug kon hij ook al niet, dan zou hij opnieuw moeten gaan door dat bijtende veld. Eigenlijk leek er maar één ontsnapping mogelijk; en die was via het huis.

Schuin boven hem, op de eerste verdieping, op het achterbalkon, viel hem nu een raampje op, dat openstond.

'Kom op,' sprak hij zich moed in. 'Gorilla Bob!'

Langs een regenpijp hees hij zich omhoog. Zijn voet gleed weg, maar hij hield zich stevig vast. Kreunend bereikte hij de rand van het balkon.

Even keek hij uit over de achtertuinen, vervolgens wrong hij zich naar binnen. Hangend in de opening spiedde hij rond. Het was daarbinnen aardedonker. Omzichtig liet hij zich zakken.

Met een doffe bons kwam hij neer op de vloer. Hij luisterde gespannen – maar er roerde zich niets. Traag wenden zijn ogen aan de duisternis. Er stond een bed waarover beestenvellen lagen, er was een nachtkastje. Toen viel Bernie bijna flauw van schrik, want tegenover hem bewoog iets; een kleine gedaante met een groot hoofd keek hem strak aan...

Daarna zag hij een vergulde lijst en merkte hij dat hij in een spiegel stond te staren die daar stond tegen de wand...

Nu wilde hij alleen nog maar hier weg. Hij was zo langzamerhand doodsbenauwd geworden. Hij opende een deur. Hij hoopte een gang te zien die hem naar de voordeur kon leiden. Maar deze deur gaf blijkbaar toegang tot een soort van hal; een grote ruimte, volgepakt met spullen. Alles werd beschenen door een zacht, groen licht.

Er klonk gekraak, ergens vlakbij... gevolgd door een zoevend geluid...

En toen, heel plotseling, klapte een luik open in de wand. Vlak voor hem suisde mevrouw Zwellengrebel neer, als een duveltje-uit-een-doosje. Alsof het mens van rubber was kwam ze ploffend, met beide voeten tegelijk, terecht op de vloer.

Onmiddellijk schoot Bernie weg, terug de slaapkamer in. Achter zich hoorde hij mompelen met een galmende, schurende stem. Hij viel, zijn enkel verzwikkend, voorover. Direct daarna flitste iets blauws over zijn hoofd. Een vurige bal verdween gierend door het raampje naar buiten. Geschokt trok Bernie een voorwerp naar zich toe, een metalen plaat die in zijn buurt stond. Hij moest zich ergens mee beschermen...

Net op tijd! Een tweede vuurbol spoot op hem af, kaatste klappend tegen het metaal en schampte eventjes zijn voeten, die eronder uitstaken – even trok een gloeiende hitte door zijn benen omhoog...

Maar het overgrote deel van het tovervuur vloog terug naar mevrouw Zwellengrebel, die daar met uitgestrekte armen en vlammende ogen stond te prevelen. Er klonk een spetterende knal. En toen Bernie weer durfde te kijken, zag hij, waar ze had gestaan, een harige spin, ter grootte van een kat.

Bernie liet zijn schild vallen op de vloer; het was de spiegel, merkte hij nu, die spiegel waarin hij zichzelf al eerder had gezien.

Hinkstappend snelde hij naar het raampje, wrong zich erdoorheen, liet zich vallen van het balkon, en schoppend en springend rende hij opnieuw door de happende oranjerode bloemen...

Eenmaal in zijn eigen huis loerde hij, vanuit het raampje in de voordeur, uiterst omzichtig naar die huiveringwekkende muren verderop. Koude rillingen trokken door 'm heen. Zo nu en dan wreef hij over zijn pijnlijke enkel. Hij had overal jeuk.

'Ze is een spin,' lispelde hij voortdurend hardop. 'Een spin... Wat kan een spin nou verder doen...'

Toen verscheen, in haar deuropening, mevrouw Zwellengrebel zelf. Alsof ze nooit een spin was geweest stond ze daar, spiedend naar het huis van de familie King.

Bernie stond ver van haar af, achter de deur, maar hij had het gevoel alsof haar blik daar dwars doorheen sneed. Versteend van angst bleef hij staan wachten. Heel lang duurde het voordat ze zich omdraaide en haar deur achter zich sloot.

15

Aan het einde van de middag, toen de school uitging, kwam Bernie het schoolplein op lopen. Tessa, die net haar fiets pakte, zag hem komen in de verte, schuw rondkijkend en nog steeds een beetje hinkend.

'Hé!' riep ze. 'Wat zie jíj er uit! En waarom loop je zo raar...?'

''t Is een heks, konijntje!'

Bernie had deze woorden bijna uitge*spuwd*. Bevreemd keek ze hem aan.

'Waar hèb je het over? En waarom ben je zo bleek?'

Bernie vertelde. Stamelend en struikelend over zijn zinnen beschreef hij de bijtende bloemen, het zachte groene licht, de komst van mevrouw Zwellengrebel, de vuurbollen en zijn ontsnapping. Tessa begon te giechelen.

'Waarom lách je?' vroeg Bernie zacht.

'Mensenetende bloemen, zei je toch?' vroeg Tessa. 'En zij veranderde in een spín?'

'Ja...'

Er kwamen meer leerlingen bij staan.

'Sorry hoor,' zei Tessa. 'Ik geloof best dat er iets gebeurd is. Maar dit...'

'Maar het is waar!' riep Bernie hard. 'Het is écht zo gegaan!'

'Ja hoor,' zei Tessa. Ze leek nu enigszins geërgerd. 'Detective King gaat op onderzoek. Toe Bernie, zo is 't wel genoeg.'

Ontzet staarde Bernie haar aan. Het drong pijnlijk tot 'm door dat zijn verhaal voor iemand anders maar moeilijk was te slikken. Daar was alles te bizar voor, en te onverwachts...

Op dat ogenblik vroeg een ouder meisje: 'Zeg, wat heb je in je shirt?'

Ze wees naar Bernies onderrug, waar zijn billen begonnen.

Het was de plek op zijn lichaam waar die jeuk het hevigst jeukte. Er zat daar blijkbaar iets... Hij trok zijn shirt uit zijn spijkerbroek. Er floepte wat naar buiten...

Het meisje gilde en iedereen die bij haar stond leek hoorbaar te schrikken.

Meer leerlingen haastten zich naar Bernie toe.

'Nee,' commandeerden ze. 'Nee! Blijf nou staan, niet wegdraaien!'

Met grote ogen keken ze naar zijn onderrug. En ze konden nauwelijks geloven wat ze daar zagen; want uit Bernies lichaam groeide nu *een staart*...

Hij was behaard en er zat een kwastje aan. Het was een levensechte, harige staart, ongeveer zo lang als een lineaal. Bernie kon hem eerst alleen maar voelen. Maar daarna, toen hij keek over zijn schouder, kon hij hem zien.

'Is het niet gewoon z'n... eh... je weet wel?' vroeg het oudere meisje.

'Ja hoor!' riep iemand anders. 'Een je-weet-wel aan de achterkant!'

'En een behaarde! Met een kwastje!' riep een derde.

Maar iedereen mocht dan grappen maken, ze stonden zich wel met uitpuilende ogen te verdringen. Ook de leraren kwamen naar buiten. En ook zij stonden met open mond te staren.

Bernie werd intussen steeds verlegener. Bedremmeld keek hij om zich heen, maar overal dromden de leerlingen.

Opeens zette hij het op een rennen; en hij bleef hollen tot hij thuis was.

16

Zijn moeder stond alweer in de keuken. Toen ze Bernie in de gaten kreeg begon ze weer over sukadelappen, maar halverwege een zin stokte haar stem.

'Jij ziet zo wit,' zei ze.

Bernie knikte. Even aarzelde hij nog.

'Ik heb iets ontdekt,' zei hij toen zacht.

'Wat dan?'

'Dat mens van hiernaast...'

'Mevrouw Zwellengrebel?'

Bernie knikte.

'Dat is een heks.'

Mevrouw King leek absoluut niet verbaasd.

'Ja,' zei ze. 'Ik vind 'r ook niet prettig. Zo'n uitgemergeld iemand. En laatst stond ik naast 'r bij de bakker en toen drong ze voor. Ik zei d'r wat van en daarna keek ze opzij en vroeg: "En, hoe was de ham?" En ze ging verder met bestellen! Ik vind het ook een soort van heks, ja.'

'Niet een *soort* van heks,' zei Bernie. 'Het is *echt* een heks.'

'Wat jij wil,' zei mevrouw King. 'Heb jij toevallig honger?'

'Kijk wat ze heeft gedaan!'

Bernie draaide zich om. Zijn moeders mond viel open.

'Hè...' mummelde ze na een lange stilte. 'Is dit weer een geintje?'

'Niet echt,' zei Bernie.

Hij voelde zich heel ongemakkelijk. Die staart, die had iets onfatsoenlijks. Misschien kwam dat wel door dat meisje dat 'je weet wel' had gezegd.

Mevrouw King pakte nu de staart en gaf er een rukje aan.

'Au!' zei Bernie hard.

Zijn moeder liet meteen weer los. Ze deinsde achteruit.

'Goeiehelp,' zei ze mompelend. 'De één ligt constant op de bank en de ander krijgt een staart...'

'Het komt door mevrouw Zwellengrebel,' legde Bernie uit. 'Ze heeft vanmorgen geprobeerd me te betoveren.'

'Bernie, hou nou op over dat mens van hiernaast! Vertel eens, hoe lang zit die staart er al?'

'Dat probeer ik te vertellen!'

Bernie had zich weer naar zijn moeder teruggedraaid. Dof keek mevrouw King hem aan. Het was wel duidelijk dat ze zich geen raad wist met een dergelijk probleem.

Ten slotte zei ze: 'Heb jij soms stiekem Chinees gegeten?'

'Je luistert niet eens!' zei Bernie boos.

'Ik ga de dokter bellen,' zei zijn moeder.

Ze slofte weg, in de richting van de telefoon.

17

Er zaten twee mensen in de wachtkamer van de dokter toen ze binnenkwamen.

'Dit is een spoedgeval,' snauwde mevrouw King tegen de assistente.

'Bernie King,' zei het meisje opkijkend. 'Heb je weer een knikker in je neus gestopt? Of heb je weer eens geprobeerd om een rietsigaar te roken?'

'Hij heeft... Roept u de dokter maar!'

De assistente beende weg.

Enkele seconden later stak haar hoofd weer om de deur.
'Komt u maar.'
In zijn spreekkamer zat dokter Roekel wat dingen te noteren. Het was een kalende man die sterk rook naar viooltjeszeep.
'Gaat u zitten.'
Bernie en zijn moeder zakten omlaag.
'Au,' zei Bernie, want hij was per ongeluk op zijn staart gaan zitten, en dat bleek pijn te doen.
Hiervan keek de dokter op.
'Wat zijn de klachten?'
Bernie deed zijn mond open, maar zijn moeder was hem voor.
'Hij heeft een staart gekregen, dokter.'
'Wat zegt u?'
'Bernie, laat eens even zien.'
Bernie stond op en draaide zich om. De dokter zei geen woord. Stijfjes zat hij achter zijn bureau.
'Het komt door mevrouw Zwellengrebel,' zei Bernie bedeesd.
'Wablief?' mompelde de dokter.
'Ik ben betoverd,' zei Bernie.
Opeens begon de dokter kraaiend te lachen.
'Natúúrlijk!' zei hij. 'Ha ha ha! Betoverd! Jazeker!'
'Dokter –' begon mevrouw King.
'Dan krijg jij toch een toverdrankje!' vervolgde de dokter. 'En dan komt 't allemaal weer goed!'
Hij veerde overeind.
'Kom,' zei hij tegen Bernie. 'Kleed je dan maar uit achter dat scherm. Onderbroekje aanhouden. Ik zal wel even nagaan of alles nog gezond is.'

Nagrinnikend tikte hij het een en ander op een toetsenbord.

'Verder nog klachten?' vroeg hij aan mevrouw King. 'Kan hij zich al een beetje beter concentreren?'

'Volgens mij heeft-ie stiekem Chinees gegeten,' antwoordde mevrouw King.

Bernie had zich inmiddels uitgekleed. De dokter verscheen achter het scherm.

'Zo ventje. Jij houdt nooit op met grappen maken, hè? Laat eens even zien...'

Dokter Roekel slaakte een luide kreet.

Ook de assistente werd erbij gehaald.

'Kijkt u toch, juffrouw Scharkamp! Het staartbeen heeft zich verlengd! Zeker *dertig* centimeter! Ongehoord! Er is zelfs enige beharing ontstaan! *Kijkt* u toch!'

'Ik zie het, dokter... Zou het besmettelijk zijn?'

'Rubber handschoenen, juffrouw Scharkamp! Twee paar!'

Bernie werd betast en beknepen. Er werd aan zijn staart getrokken, hij werd opgemeten.

En de dokter bleef maar wauwelen: 'Het is een unicum! Ik zal hier een artikel over publiceren dat furore zal maken in de medische wetenschap! Een spontane wildgroei! Maakt u aantekeningen, juffrouw Scharkamp?'

Vele vragen werden er gesteld. Opnieuw probeerde Bernie zijn verhaal te vertellen; maar halverwege werd hij onderbroken.

'Zo is het wel genoeg. Juffrouw Scharkamp, noteert u het volgende: dwangmatige fantasieën, wellicht hysterisch. Past ook mooi in het beeld dat we al hadden. En, vertel eens jongen, heb je er last van?'

Bernie schudde zijn hoofd.
'Ik ben niet hysterisch. Ik ben betoverd! Enne... Nee. Ik heb er geen last van, geloof ik. Ik had een tijdje jeuk, maar ik voel me nu wel redelijk.'
Dokter Roekel wreef zich in de handen. Nog lang tikte hij dingen in in zijn computer. Uiteindelijk wendde hij zich tot mevrouw King.
'U bent hier, neem ik aan, voor een operatie?'
'Operatie, dokter?'
'U vraagt zich natuurlijk af of we dit kunnen opereren. Want hiermee komt uw zoon mogelijk terecht in een sociaal isolement.'
'Watte?'
'Ik denk wel dat het is te doen, mevrouw King. U moet niet wanhopen. Alleen de vraag is nu: is dit verzekerd?'
'Huh?'
'Ik vrees in dit geval het ergste. Ik denk niet dat u een dergelijke operatie zult kunnen terugkrijgen van een gewone ziektekostenverzekering. Heel lastig zal de ingreep echter waarschijnlijk niet zijn. We zullen natuurlijk moeten onderzoeken of de zenuwen doorlopen in wat ik gemakshalve dan maar uw zoons "staart" zal noemen.'
'Volgens mij heeft-ie iets verkeerds gegeten, dokter.'
'U bént hier toch om de mogelijkheid van een operatie te onderzoeken?'
Mevrouw King haalde haar dikke schouders op.
'Ik kan op dit moment niet meer dan een ruwe schatting maken,' hernam de dokter. 'Met onderzoeken en ziekenhuiskosten zult u toch gauw uitkomen op zo'n tienduizend euro, vrees ik.'
'Wat?!'

Het leek alsof mevrouw King wakker werd.

'Mag ik me weer aankleden?' vroeg Bernie.

'Kom Bernie,' zei mevrouw King met een strakke mond. 'We gaan naar huis.'

'Ik hoop spoedig een vervolgafspraak te kunnen maken,' zei de dokter. 'Houdt u uw zoon intussen nauwlettend in de gaten.'

'Reken daar maar op,' zei mevrouw King pinnig.

Bernie knoopte zijn schoenen vast en volgde zijn moeders rug.

18

'Ieks!' zei Jane toen ze thuiskwam en Bernie tegen het lijf liep. 'Blijf uit m'n buurt!'

'Graag,' zei Bernie nijdig.

'Nu ben je dus een echte aap,' zei zijn zus.

'Beter dan een dikke pad,' kaatste Bernie terug.

Een beetje mismoedig haalde Jane haar schouders op. Bernie zag het niet.

'Zorg maar dat je nooit alleen met dat mens van hiernaast bent,' zei hij.

'Huh? Waarom –'

'Het is een heks, daarom. En daarom heb ik nou dit... *ding*. Ik waarschuw je maar even.'

Weer schaamde hij zich voor die staart. Hij deed hem in zijn broek en trok zich terug op zijn kamer. Daar ging hij zitten op zijn bed. Een tijd lang staarde hij voor zich uit. Hysterisch, had de dokter gezegd. Die man had dus geen woord geloofd van zijn verhaal. Zijn vader kwam binnen.

'Zo jongen.'

'Hoi pa.'

'Laat eens even zien.'

'Moet 't echt?'

'Ik ben je vader! Kom, laat zien.'

Even keek meneer King naar Bernies nieuwe lichaamsdeel. Hij knikte bevestigend.

'Je begrijpt dat dit een straf is?'

'Een straf?'

'Van boven, jong! De Here had ook je gehemelte kunnen splijten. Of Hij had je een sprinkhanenplaag kunnen sturen. Maar in Zijn oneindige wijsheid heeft Hij hiervoor gekozen. Je zult 't moeten dragen als een man, jongen. Want er is geen sprake van een operatie. Veel te kostbaar. Het zou trouwens ingaan tegen Zijn wil.'

Meneer King wees omhoog.

'Denk je, pa?'

'Ik weet het wel zeker. En je begrijpt dat je je van nu af aan onberispelijk zult moeten gedragen, hè?'

'Ja pa.'

'Mooi. Dan gaan we eten. Zelfs de zondaars hebben behoefte aan voedsel.'

En meneer King liep naar de woonkamer, waar het eten al stond opgediend.

Er werd die avond verder niet over gesproken. Meneer en mevrouw King keken naar een horrorfilm en ze zwegen in alle talen; waarschijnlijk wisten ze gewoon niet wat ze moesten zeggen. Hierover was Bernie opgelucht; maar verder overheerste toch de wanhoop. Nu hij in alle rust kon nadenken, weer op zijn eigen kamer, begonnen bepaalde dingen tot hem door te dringen: ten eerste was er die staart zelf, die nu dus blijkbaar voorgoed aan hem vast hing. Daarmee was hij een gedrocht geworden. Een menselijke aap, iemand van wie je schrok. Hij kon zich de reacties van de leerlingen op school wel voorstellen; als ze over hun verbazing heen zouden zijn, zouden ze net als zijn zus zeggen: 'Die Bernie! Nu is hij *echt* een aap geworden! Ach ja, dat was ook te verwachten!'

Maar hier viel mee te leven; wat erger was, veel erger, was de nabijheid van de heks. De heks die het nu voorgoed op hem voorzien zou hebben; omdat hij wist dat ze een echte en levensgevaarlijke heks wás...

Heel donker stond het silhouet van haar dak tegen de paarse lucht. Een paar vallende sterren kwamen neer boven de hoge schoorsteen. Een van die sterren maakte zelfs een rondje voordat hij uitdoofde. Verder was er geen enkel licht te zien.

Daar woonde een heks, en die was vanaf deze dag zijn dodelijkste vijand. Dit was erger dan Bernie zich in zijn ergste dromen had kunnen voorstellen. Dit was een bedreiging die hem verpletterde, een avontuur waar Bob de detective-gorilla jammerend voor was weggekropen in het stilste hoekje van het oerwoud. En Bernie stond er in z'n eentje voor. Zelfs op Tessa kon hij nu niet rekenen. Nooit eerder had hij zich zo ontzettend eenzaam gevoeld...

Hij schoof de gordijnen dicht. Hij trok de lakens en dekens van zijn bed en legde ze eronder. Daar ging hij liggen, in zijn pyjama. Mocht de heks hier binnendringen in de nacht, dan zou ze hem tenminste niet onmiddellijk vinden. Dan zou ze niets anders aantreffen dan een leeg bed.

Daaronder, in het stof, viel Bernie in een zweterige slaap.

19

Drie keer was hij wakker geworden met een schreeuw. Alle drie de keren had hij zijn hoofd gestoten tegen de bodem van het bed. Telkens had hij in zijn slaap de gele heksenogen zien opgloeien. Maar als hij dan verward rondtuurde in de duisternis was er niks, alleen het suizen van de wind langs de ramen.

Nu was het ochtend en de voeten van zijn moeder stonden naast zijn hoofd.

'Je kunt beter ín bed gaan liggen,' hoorde hij haar zeggen.

Bernie kwam tevoorschijn. Zijn moeder deed een logge stap naar achteren. Hoofdschuddend keek ze rond.

'Gekker moet het hier toch niet worden,' zei ze. 'Al die jampotten met vieze beesten... Heb je koorts of zo?'

Bernie dacht van niet. Hij voelde zich, ondanks de rommelige nacht, iets steviger.

'Wil je wat eten?'

'Jawel.'

'Goed. In de keuken staat ontbijt. Ik zal de school bellen dat je nog ziek bent.'

En zijn moeder liep weer weg.

Bernie pakte zijn staart. Ja, die zat er nog. Hij kneep erin en dat deed zeer. Het probleem van weer naar school moeten was tenminste even opgelost.

In de keuken at hij boterhammen. Meneer King kwam naar hem toe.

'Hoe voel je je?'

'Gaat wel, geloof ik.'

'Blijf maar een paar dagen binnen. Misschien valt die staart er wel weer af. Daar kun je ook voor bidden.'

‘Ik zal eraan denken, pa.’

‘Juist,’ zei zijn vader. ‘Bidden. Een gesprek met de Grote Baas. Zal je goeddoen. Nou ja. Als je je verder dan maar rustig houdt.’

Meneer King beende weg en Jane kwam langs.

‘Je kunt altijd nog bij ’t circus,’ zei ze.

Maar daarna gaf ze hem een lolly.

‘Hier. Die zat nog in mijn tas. Omdat je ziek bent mag jij ’m.’

En ze verdween. Verrast keek Bernie haar na. Ze hadden vaak ruzie, maar dit was aardig. Misschien moest hij haar geen ‘dikke pad’ meer noemen.

Het werd stil in huis en Bernie ging weer op zijn kamer zitten uitkijken. Hij bedacht dat hij eigenlijk een videocamera zou moeten hebben; daarmee zou hij dan bewijzen kunnen verzamelen dat ze echt een heks was.

Maar helaas, hij had er geen, en zijn ouders ook niet. Het echtpaar King had zelfs nooit de moeite genomen om hun kinderen te fotograferen, laat staan te filmen. Zijn zus had een mobieltje, maar het was een ouderwetse, foto’s maken kon je er niet mee. En Tessa had, net als hijzelf, geen telefoontje. Even had hij de aanvechting om te gaan huilen.

Lusteloos zat hij intussen te goochelen met die lolly. In boogjes gooide hij ’m van zijn ene hand naar de andere, heen en weer; iets wat hij ook vaak in de klas deed met een pen.

Zijn linkerhand greep mis, en het ding vloog naar de vloer. En voordat hij besefte wat er precies gebeurde ving hij ’m op met zijn linkervoet.

Alsof het een derde hand was omklemde zijn linkervoet de steel van de lolly.

Onthutst keek hij omlaag. Zijn linkervoet reikte omhoog en gaf de lolly aan zijn rechterhand.

Aandachtig bestudeerde Bernie nu zijn voeten. Ze leken iets langer te zijn dan vroeger. En bovendien iets hariger. Ja, dat klopte: er waren kleine, donkere stoppels opgekomen...

Hij legde vervolgens meerdere voorwerpjes op de vloer en pakte ze met zijn voeten op. Een schoolagenda, een horloge, een tube tandpasta; zijn voet greep ze telkens moeiteloos beet. En klemvast werd zo'n voorwerp dan omhoog getransporteerd. Ook zijn benen schenen enigszins te zijn veranderd. Die waren buigzamer...

Het drong tot Bernie door: zijn voeten waren door het heksenvuur geraakt. Die spiegel had hij voor zijn lichaam kunnen houden, maar zijn voeten hadden eronderuit gestoken. Iets van dat vuur, van die hitte, moest omhoog zijn geschoten; daarom had hij ook die staart...

Opeens zag hij mevrouw Zwellengrebel gaan. Hij schrok zich wezenloos, maar nodig was dat niet, want ze liep gewoonweg over straat, in de verte, in een jas van tijgerbont. Heel even leek ze een blik te werpen op het huis van de familie King. Toen ging ze verder, met haar boodschappentassen.

En ze was weg. Hijgend kwam Bernie bij. Hij was veilig. Ze was doorgelopen. Hij had haar bovendien zien komen; ze kon zichzelf dus niet onzichtbaar maken of iets dergelijks. Hij kreeg nu erg veel zin om ook naar buiten te gaan. Maar buiten was natuurlijk een reusachtig risico. Buiten kon wel eens betekenen dat je plotseling alleen tegenover dat wijf stond...

Gisteren was hij nog naar school gelopen; hij begreep nu niet meer hoe hij dat had gedurfd. Toch kleedde hij zich aan. Hij liep naar de keuken. Daar keek hij uit over de achtertuin. De zon deed het gras en de brandnetels glanzen. Als hij zich niet zo miserabel had gevoeld was het een mooie dag geweest.

Toen nam hij een beslissing; hij gooide plotseling de deur open en rénde over het gras naar de dertien eikenbomen achter de tuin. Daar aangekomen stond hij blazend te loeren naar de achtergevel van het heksenhuis. De vleesetende bloemen stonden fleurig op hun plek, ze wiegden in de wind.

Nerveus dwaalde Bernie met zijn blik over alle plaatsen in de omgeving waar een heks zich zou kunnen verschuilen. Hier, tussen de bomen, voelde hij zich redelijk beschut. De kans was klein dat mevrouw Zwellengrebel hem had zien hollen. En ze moest wel erg haar best doen wilde ze hem hier nog opmerken.

Kon hij in een boom klimmen? Dat zou nog lastig zijn. De dikke, ruwe stammen hadden de eerste meters weinig zijtakken. Maar misschien... Hij trok zijn schoenen uit, die erger knelden dan ze ooit hadden gedaan. Ook zijn sokken deed hij uit.

Zo was het beter. Zijn voetzolen werden gekieteld door het gras.

Hij nam een sprong. Het volgende moment hing hij tegen een stam. Hij gleed niet weer omlaag; het was haast of zijn voeten zuignappen hadden gekregen. Lenig hadden zijn tenen zich vastgegrepen om de naden in de schors.

Hij werkte zich verder omhoog. De grond schoof weg en werd een afgrond. Een bries streek door zijn haar. Algauw bereikte hij de eerste takken. Van daaraf ging het nog gemakkelijker.

Had hij vroeger nog wel eens last van hoogtevrees gehad, nu was dat totaal verdwenen. De diepte *bestond* gewoon niet meer; alleen de takken om hem heen waren belangrijk, en dat waren wegen waaruit hij kon kiezen. Balancerend liep hij over een dikke tak. Bernie glimlachte. Zijn evenwicht was haast perfect.

Hij haalde zijn staart uit zijn broek; die leek hem nog verder te helpen bij het balanceren. Hij voelde de wind nu harder blazen, maar hij kon zich niet voorstellen dat hij zou vallen. Vallen was onmogelijk. Hij boog door zijn knieën; de tak ging krakend omlaag en veerde toen omhoog. Hij boog opnieuw zijn knieën – en terwijl de tak opnieuw omhoog veerde zette hij zich af.

Bernie zweefde. Zonder enige angst haalde hij de volgende boom. Zijn handen grepen de tak vast die hij had uitgekozen. Hij merkte dat zijn handen minder zeker, minder krachtig waren dan zijn voeten. Maar zijn voeten hadden zich al vastgeklauwd. Hij zwierde verder, van tak naar tak. Soms zweefde hij weer even, was hij los van alles... Het was briljant! Het was ongelofelijk wat hij hier deed! Hij gaf een brul van opwinding.

Toen zag hij mevrouw Zwellengrebel weer. Daar stond ze, in haar achtertuin, te midden van haar bloemen. Bernie bevond zich tussen dichte bladeren, hij hield zich ogenblikkelijk muisstil. Haaiig keek mevrouw Zwellengrebel om zich heen. Haar gele ogen schitterden als diamanten. Ze had hem horen schreeuwen, dat kon niet missen; maar het kwam niet in haar op om naar boven te kijken. Wrokkig tuurde ze over de heg.

'Bernie!' riep ze zacht. 'Ben jij daar?'

Zijn keel werd droog. Zonder te bewegen, op zo'n vijftien meter hoogte, lag hij op zijn tak.

'Bernie, ik wil met je praten!' riep mevrouw Zwellengrebel. 'Ik kan je uitleggen wat je hebt gezien. Soms lijken de dingen anders dan ze zijn!'

Intussen bleef de heks om zich heen speuren, verdacht op elk geluid of iedere beweging.

De keukendeur van Bernies huis ging open. Zijn moeder

kwam naar buiten met een vuilniszak. Goddank, die was dus terug van haar boodschappenronde!

Vanaf zijn hoge plek zag Bernie hoe mevrouw Zwellengrebel ineenkromp. Ze werd opeens heel klein, ze werd zo groot als een tuinkabouter. En sluipend scharrelde ze tussen haar bloemen naar haar huis.

Bernie sprong door de takken omlaag. Hij roetsjte naar beneden langs de stam, hij voelde hoe de schors zijn voetzolen en handpalmen schaafde. Hij holde over het grasveld.

'Ma! Hier ben ik!'

'Dat zie ik,' zei zijn moeder licht verwonderd. 'Heb je een wandelingetje gemaakt? Je bloedt... Je hebt bloed aan je handen... En waarom heb je geen schoenen aan?'

'Ma, ik ben zó blij dat ik je zie...'

'Dat is goed hoor, jongen. Heb je zin in iets? Dan maak ik wat. Maar was eerst dat bloed van je handen. En doe iets aan je voeten.'

Achter zijn moeder liep hij naar binnen.

20

's Middags kwam Tessa naar zijn huis. Ze stond opeens in zijn kamer, waar Bernie zijn voeten zat te oefenen.

'Zo aapje,' zei ze. 'En nu wil ik weten wat er echt gebeurd is.'

'Dat heb ik je verteld,' zei Bernie. 'Ik heb niks overdreven of veranderd. Mevrouw Zwellengrebel is een heks! Die staart lijkt me bewijs genoeg.'

'Laat nog eens zien.'
'Moet 't?'
'Graag ja. Ik heb 'm gisteren maar eventjes gezien. Ik wil nu weten of-ie echt is.'
Met tegenzin draaide Bernie zich om.
'Jeetje,' zei Tessa. 'Mag ik 'm aanraken?'
Ze had 'm al beetgepakt.
'Er zitten kleine, donkere haartjes op,' zei ze.
'Ja,' zei Bernie. 'Net als op m'n voeten.'
Ook die wilde Tessa zien.
'Je voeten zijn enorm geschaafd,' zei ze.
Bernie vertelde wat hem 's ochtends was overkomen. Toen hij klaar was met zijn verhaal zei Tessa: 'Misschien was dat wel zo.'
'Wat? Wat was wel zo?'
'Misschien was alles wel anders dan het leek.'
'Hoe kún je dat nou nog zeggen! Ze werd zo klein als een kabouter! En daarna sloop ze weg tussen die bijtbloemen! En ze heeft me betoverd! Geloof je het nou nóg niet?!'
'Nou ja,' zei Tessa, 'het klinkt zo gestoord allemaal.'
'Niet te kort!' foeterde Bernie. 'Je gelooft dus niet eens wat je ziet!'
'Ik wil je wel eens zien klimmen,' zei Tessa.
'Misschien moet je gewoon eens gezellig op bezoek gaan bij de buurvrouw.'
Voor het eerst keek Tessa nu een beetje schuw.
'Ik heb haar nog gezien. Ze is vanmorgen langs de school gelopen.'
'Pas maar op,' zei Bernie. 'Zorg dat je nooit alleen met haar bent.'
Tessa slikte.

'Jezus,' zei ze.

Ze tuurde uit het raam.

'Ze woont wel erg dichtbij,' zei ze. 'Wat ga je nou doen?'

Bernie keek voor zich uit.

'Ik weet 't niet.'

'Je kunt de politie op haar af sturen.'

'Wat zou ik ze moeten zeggen? Iemand heeft me betoverd? Ze lachen zich rot. Of ze sturen me naar het tuchthuis omdat ik geprobeerd heb in te breken. Mijn ouders geloven me niet eens. Nou ja, ik heb 't m'n vader maar niet verteld. En m'n moeder denkt alleen aan voedsel.'

Even zwegen ze.

'Mijn ouders kennen een journalist,' zei Tessa toen.

'Een wat?'

'Iemand die stukken schrijft in *De Biesterkrimpse Bazuin*. Misschien dat je aan hem je verhaal kunt vertellen. Hij heet Knipscheer.'

'Waarom zou die Knipscheer me geloven?'

'Ach... Misschien zijn journalisten gewoon nieuwsgieriger dan de meeste andere mensen. En bovendien is het een vriend van mijn ouders. Zal ik 'm bellen?'

Bernie maakte een beweging tussen schudden en knikken in.

'Voor mijn part,' zei hij.

21

Al de volgende middag stond Tessa opnieuw voor het huis van de familie King. Ze was in gezelschap van een dikkige man die een schelphoed droeg en een cameratas om zijn schouder had hangen. Achter elkaar kwamen ze binnen in Bernies kamer.

'Knipscheer,' zei de man en hij schudde Bernies hand. 'Ik ben van *De Biesterkrimpse Bazuin*. Ik doe dit voor meneer en mevrouw Koperdraad, ik zeg 't je maar eerlijk. Want meestal is 't niks, dit soort tips van kinderen. Maar vooruit met de geit, wat heb je te melden?'

'Hij heeft een staart,' zei Tessa.

Geërgerd keek Bernie haar aan.

'Bernie,' zei Tessa. 'Laat die man je staart zien.'

''t Zal wel moeten, denk ik,' mompelde Bernie.

Hij draaide zich om.

'Goh,' zei Knipscheer. 'Zit die echt vast?'

Ook Knipscheer trok eventjes aan de staart.

'Au,' zei Bernie.

'Jazeker,' zei Knipscheer. 'Een staart. Is dat alles?'

'Alles?' vroeg Tessa. 'Dat is toch heel vreemd?'

'Jawel,' zei Knipscheer. 'Maar zó vreemd is het ook weer niet. Ik heb een keer een jongetje met twee hoofden gezien. En een vrouw met een baard. En mijn oom Anton had hangwangen.'

Na deze laatste opmerking begon Knipscheer te giechelen.

'Het gaat erom hoe het zo is gekomen,' zei Bernie blozend. 'Want een paar dagen geleden had ik die staart nog niet.'

'Nou, vertel op dan,' zei Knipscheer.

Bernie vertelde van zijn bezoek aan de heks. Knipscheer

luisterde eerst nog met aandacht. Maar naarmate het verhaal vorderde begon hij steeds meer om zich heen te kijken. En toen Bernie klaar was loosde Knipscheer een zucht.

'Ja ja ja,' zei hij verveeld. 'Prachtig verhaal hoor. Maar dat ga ik niet opschrijven. Kabouters en heksen en spoken. Heel leuk en aardig, maar niet voor de lezers. Onze volwássen lezers, bedoel ik.'

'Dat was te verwachten,' zei Bernie.

'Maar één ding kunnen we controleren,' vervolgde Knipscheer. 'Jij beweert dus dat je nu heel goed kunt klimmen. Zo goed als een aap, zal ik maar zeggen. Nou, laat dat dan maar zien.'

'Oké,' zei Bernie. 'Maar gelooft u het dan?'

'Eerst zien, dan geloven,' zei Knipscheer.

Zo met z'n drieën durfde Bernie wel weer naar buiten. Door de achtertuin liepen ze naar de eiken. Daar aangekomen klom hij omhoog. Hij liep over een tak. Hij nam een sprong naar een volgende boom. Hij zweefde verder. Opnieuw was het heerlijk, en hij vergat Knipscheer en Tessa. Hij dook en zwierde, heel soepel, heel sierlijk; totdat hij door een stem werd herinnerd aan die bezoeker.

'Eh... Barend was het toch? Kun je even omlaag komen?'

In twee elastische sprongen was Bernie terug op de grond. Knipscheer stond ingespannen te fotograferen.

'Jongen!' zei hij. 'Jongen... Het is... *geweldig*! Dit had ik echt niet verwacht! Hoe heb je zoiets geleerd?!'

'Toverkracht,' zei Bernie smalend. 'En ik heet Bernie.'

'Maakt ook niet uit,' zei Knipscheer. 'Het is erg indrukwekkend. Je zou hier veel geld mee kunnen verdienen.'

'Schrijft u nu dan dat stuk?'

'Zeker weten,' zei Knipscheer. 'Hier zal ik een puik artikeltje over schrijven. Een echte Knipscheerproductie!'
'Dat werd wel tijd,' zei Bernie.

22

Vervolgens bleef Bernie twee dagen lang op zijn kamer. Soms kwam een van zijn ouders binnen.
'Hoe gaat 't?' vroeg dan zijn vader of moeder, en Bernie antwoordde met: 'Het gaat.'
Zijn moeder bracht paardenvlees, zure zult en gevulde komkommer. En zijn vader bracht hem een bijbel en gaf hem de raad om die maar eens grondig te lezen.
Ook zijn zus keek soms om de hoek van de deurpost. Op de tweede middag liep ze naar binnen.
'Hier,' zei ze, en ze gaf hem een zak met gemengde drop.
'Dankjewel,' zei Bernie verrast.
Jane ging zitten op de rand van het bed, waarop Bernie had liggen lezen in een boek dat *De heksen* heette.
'Wat heb jij nou eigenlijk, broertje?'
'Een staart,' antwoordde Bernie, terwijl hij die zak openscheurde.
'Doet 't pijn?'
'Nee, dat niet.'
'Waarom lig je hier dan?'
'Omdat ik niet meer naar buiten durf in m'n eentje.'
'Waarom niet?'
'Ik ben bang voor de buurvrouw.'

Jane knikte ernstig.
'Ja, dat zei je al. Volgens jou is 't een heks, toch?'
'Ja. Ze is bloedlink.'
'Ik vond 'r altijd al eng. Geef mij eens een dropje.'
'Wat?' vroeg Bernie. 'Je bedoelt dat jij me *gelooft*?'
'Waarom niet?' zei Jane kauwend.
'Omdat je zo'n beetje de enige bent.'
'Nee hoor. Ik heb het er met mijn vriendinnen over gehad.'
'O ja. Jouw clubje van zittenblijvers.'
'Ja,' zei Jane. 'Kimberly en Natasha kunnen er wel om lachen. Maar ze lachen je niet *uit*. Helemaal niet.'
'O nee?'
'Nee. Er wordt wel over gepraat op school. Natuurlijk niet door de leraren. Maar door de leerlingen des te meer.'
'Tjee... Dan... dan zijn er dus nog meer mensen die me geloven?!'
'Sommigen wel en anderen niet.'
Jane stond op.
'Ik hoor beneden de post,' zei ze, en ze liep weg.
Dit gesprek was een lichtpunt. Het was voor Bernie erg fijn om te horen dat er tenminste een paar mensen waren die hem serieus leken te nemen.
'Bernie!'
Zijn zus kwam weer binnen.
'Moet je kijken! Je staat in de krant!'
Het was waar. Op de derde pagina van *De Biesterkrimpse Bazuin* stond een stukje. Met een foto.
Het apenjongetje van Biesterkrimp stond erboven.
Bernie las hardop voor:
'De elfjarige Bertie K., wonende te Biesterkrimp, heeft zich ontwikkeld tot een wonderlijk fenomeen. Al sinds zijn geboor-

te heeft dit jongetje een dertig centimeter lange staart, groeiend vanuit zijn ruggengraat. Deze lichamelijke onvolkomenheid heeft hem echter niet verhinderd om zich te bekwamen in het klimmen – integendeel! Als een ware acrobaat springt hij door de takken van bomen, aan de rand van ons mooie dorp. En het zal dan ook niemand verbazen dat de lokale inwoners hem al jarenlang Kleine Aap noemen.

Wil hij later misschien bij het circus? Bertie zelf heeft daar nog niet zulke heldere gedachten over. Hij zit vol met gekke verhalen, vol nutteloze fantasie. "Misschien," aldus Bertie, "word ik later wel schrijver."

Hoe 't ook zij, zeker is dat we over deze bijzondere jongen in de toekomst nog wel meer zullen vernemen. Een reportage van KnipscheerProductions. Foto Jochum Knipscheer.'

'Schrijver!' zei Bernie nijdig. 'Hoe komt-ie erbij! Schrijvers zijn van die stoffige zeurkousen. En ze fantaseren de boel bij elkaar.'

'Wel een mooie foto, *Bertie*,' zei Jane.

En dat was waar. Op de foto nam Bernie net een zweefduik; als een kleine Batman hing hij hoog in de lucht tussen twee takken.

De telefoon ging in de woonkamer. Jane liep naar beneden.

23

'Op tv!' zei meneer King. 'Mijn verloren zoon! Mijn afgedwaalde schaap! Lieve Heer, Uw wegen zijn ondoorgrondelijk!'

De familie King zat weer om de tafel in de woonkamer, samen met Tessa. Het was de eerste keer dat zij bleef eten; meneer King had haar, in een spontane opwelling van hartelijkheid, uitgenodigd toen hij het goede nieuws te horen kreeg.

'Ik wist wel dat je gauw weer beter zou worden,' zei mevrouw King tevreden. 'Die sukadelappen hebben echt geholpen. Je vriendin zou trouwens ook wel eens wat meer mogen eten. Zo mager mager!'

Ze droeg een pan met witte bonen in tomatensaus naar binnen. Bovenin dreven paarse stukken lever. Tessa trok een paniekerig gezicht. Maar Bernie merkte niks, nurks zat hij voor zich uit te kijken.

'Waarom trek je nou zo'n lang gezicht?' zei meneer King. 'Binnenkort mag je op het *Jeugdjournaal*! Je wordt een ster, misschien wel net zo beroemd als die pratende spons! Ze komen je filmen! Dat is toch mooi?'

'Het is achterlijk!' zei Bernie. '*Leven met een handicap*! Zó heet dat programma! En dáár kom ik in! Alsof ik een bochel heb!'

'Daag de Here niet uit, jong,' zei meneer King met een glimlach. 'Hij heeft je al een staart bezorgd.'

'Ja, wees blij, *Bertie*,' zei Jane. 'Míj zullen ze niet komen filmen.'

Mevrouw King schepte de bonen op de borden. Tessa kreeg een extra groot stuk lever.

'Voor onze gast,' zei mevrouw King.

Tessa keek angstig naar het weke, paarse vlees.

'Lieve Heer, bedankt, ga vooral zo door, de groeten thuis en amen,' zei meneer King. Als hij flinke trek had raffelde hij zijn gebeden af.

De familie viel grommend aan. Snorkend sloegen ze de bonen en de lever naar binnen, de tomatensaus stroomde omlaag over kinnen en wangen. Toen Bernie alles op had keek hij naar zijn vriendin. Tessa zat kleintjes voor zich uit te staren. Ze had een miniem hapje geproefd.

'Ma, ik geloof dat Tessa niet zo'n honger heeft.'

'O nee?' zei mevrouw King. 'Echt niet? Nou, geef maar hier.'

Ze gooide Tessa's bord leeg in haar eigen bord, en begon weer slurpend te schranzen.

'Ja kind,' zei meneer King. 'Niemand wordt hier tot iets gedwongen. Vrijheid blijheid, zoals de Heilige Schrift al zegt. Vertel eens, jouw vader, zou die niet geïnteresseerd zijn in een fraai gebied in de zonovergoten heuvels van Alaska? Ik heb iets in de aanbieding, een paradijsje, werkelijk!'

'Ik zal 't doorgeven,' zei Tessa bleekjes.

'Zeg,' zei mevrouw King. 'Misschien heb jij wel trek in een boterham met bloedworst?'

Tessa sprong op.

'Even naar de plee!' kon ze nog uitbrengen, terwijl ze wegrende.

Daar hoorden ze haar overgeven.

24

Op zaterdag zat de volledige familie King voor de tv. De ploeg van het *Jeugdjournaal* was langs geweest. Helemaal aan het einde kwam het gedeelte waar ook Bernie voor gefilmd was: *Leven met een handicap*.

Eerst ging het nog over een meisje dat een hand miste. Dat meisje was niettemin heel handig.

Daarna ging het over een jongen die geen kleuren zag. Die jongen maakte tekeningen in de meest bonte kleuren.

'Hier in Biesterkrimp,' zei toen de blonde presentator, 'op de Biesterkrimpse Achterweg, woont Bernie. Bernie is elf jaar en heeft een staart. Een staart van wel dertig centimeter lang!'

Daar kwam de staart in beeld. Bernie begon te blozen.

'Een jongen met een staart!' zei de presentator. 'Vertel eens, Bernie, heb je die staart altijd al gehad?'

'Nee,' zei Bernie, wiens hoofd nu eindelijk op het scherm verscheen. 'Die heb ik sinds een week. Ongeveer.'

'Hahaha! Hij is er gewoon aan gegroeid!'

'Niet gewoon,' zei Bernie.

'Dat wil ik wel geloven!' zei de presentator. 'Het is zéker niet gewoon. Het is zelfs héél bijzonder. En wat jij ermee kunt, dat is nog veel bijzonderder. Of zoiets. Ha ha. Ga je het voor ons demonstreren?'

'Jawel. Maar ik wil ook nog wat vertellen.'

'En wij willen nog een heleboel van je weten, Bernie. Maar laat eerst maar eens even zien wat je kunt!'

Het volgende moment hing Bernie in de takken. Hij maakte een sprong. Als een kogel schoot hij van de ene boom naar een volgende. Hij maakte zelfs een koprol in de lucht.

Ook de presentator kwam daarbij in beeld. Die stond met open mond te kijken. Om hem heen kwamen bladeren omlaag gedwarreld.

Daarna richtte de camera zich weer op Bernie. Die zat intussen heel hoog in een eik. Hij liet zich vallen. Maar halverwege greep hij een tak, zwaaide eronderdoor, vloog omhoog en kwam terecht bij een nieuwe tak. Daarna dook hij in drie sprongen naar omlaag, om ten slotte met zijn hoofd naar beneden, klauwend langs de stam, af te dalen naar de grond.

'Het is... fabelachtig knap!' stamelde de presentator. 'Jullie hebben het nu zelf gezien. Dit is een jongen die zijn handicap in zijn voordeel gebruikt! Dankzij zijn handicap kan hij iets wat anderen niet kunnen!'

Bernie kwam naast hem staan.

'Ben je nou nooit bang dat je valt?' vroeg de presentator.

'Nee,' zei Bernie. 'Dat ben ik helemaal niet.'

'Maar is er nou niemand op de gedachte gekomen om een vangnet onder deze bomen te spannen?'

Bernie haalde zijn schouders op.

'Niet nodig.'

'Oké,' zei de presentator. 'Dan gaan we nu weer naar binnen. Blijf jij hier oefenen?'

Opeens keek Bernie angstig naar de camera.

'Alleen?' zei hij. 'Nee! Ik blijf hier niet alleen!'

Toen was het programma afgelopen.

'Bravo!' zei meneer King. 'De Here heeft je gezegend met een miraculeus talent. Uiteindelijk was je straf een zegen!'

Bernie keek mismoedig voor zich uit. Hij had, voor de tv-ploeg, nog een heel verhaal over de heks gehouden; maar dat had blijkbaar weer eens niemand de moeite waard gevonden.

25

Op zondagochtend werd er aangebeld. Meneer King, die nog aan het ontbijt zat, ging opendoen. Bernie hoorde hem praten op een verblufte toon. Even later kwam hij terug naar de keuken, waar Bernie zat te eten.

'Eh... jongen,' zei meneer King. 'Er zijn hier mensen voor je.'

'Mensen? Wat voor mensen?'

'Mensen uit Heerhugowaard. Met een busje zijn ze hiernaartoe gereden, zeggen ze. Ze willen jou zien.'

'Mij zien?'

'Ze vragen zich af of jij vandaag gaat klimmen. Zoals je op tv deed.'

Nu had Bernie daar toevallig erg veel zin in. Hoe vaker hij deze nieuwe bezigheid kon oefenen, hoe leuker het werd. Bovendien wilde hij het eelt op zijn voeten en handen harden, zodat hij zich niet meer zo zou schaven.

'Ik zou het maar doen,' zei zijn vader, die iets bazigs in zijn stem kreeg.

'Als die mensen erbij blijven...' zei Bernie aarzelend.

'*Ik* zal erbij blijven,' zei meneer King.

Dat verraste Bernie zeer. Dankbaar keek hij zijn vader aan.

'Oké dan.'

Als een echte ster verscheen hij voor het groepje mannen en vrouwen dat daar op het tuinpad langs het huis stond te wachten. Er ging een gemompel op toen de bezoekers hem zagen komen: 'Ah! Daar hejjen 'm! Dat is dat apenjong!'

Direct werden er foto's gemaakt.

Voor het groepje uit liep Bernie naar de dertien eiken. Zijn staart hing uit zijn broek, hij liet het zo; het hele land had die staart inmiddels wel gezien.

Het woei wat steviger dan op de voorgaande dagen, de hoogspanningskabels trilden en gonsden. Bernie klom soepel langs een stam omhoog.

Terwijl hij rondsprong verschenen er nog meer mensen in de diepte. Een echtpaar. Nog een groepje. Een gezin met kinderen. Allemaal stonden ze verbijsterd omhoog te kijken. Bernie voelde zich groeien in zijn rol. Hij maakte een koprol over een dunne tak, hij draaide om zijn as in de lucht. En tussendoor tuurde hij soms even in de richting van het heksenhuis. Maar mevrouw Zwellengrebel vertoonde zich niet en zijn veronderstelling klopte dus: ze verstopte zich als er mensen in de buurt waren.

Meneer King had zich intussen opgesteld bij het tuinpad. Alle bezoekers moesten daarlangs als ze de tuin in of uit wilden gaan.

'Dat is dan twee euro vijftig per persoon,' hoorde Bernie hem zeggen tegen het groepje dat als eerste was gekomen.

Bernie glimlachte vanuit de takken omlaag. En ook zijn vader glimlachte; even keken vader en zoon elkaar aan, en voor het eerst in z'n leven had Bernie het idee dat zijn vader hem werkelijk waardeerde.

Die middag timmerde zijn vader van gaas en paaltjes een groot hek om het groepje eikenbomen heen. Zwetend was hij met hamers en spijkers in de weer. Als laatste hing hij een bord op, dat hij eigenhandig had beschilderd met de woorden:

HET ONGELOFELIJKE APENJONGETJE.

En telkens kwamen er nieuwe mensen; mensen met videocamera's, mensen met rugzakken en paraplu's, gezinnen met jengelende kinderen, vrouwen met honden en mannen met reisgidsen.

'We zijn hard bezig!' riep meneer King dan, met de stem

van een opzichter. 'De faciliteiten zijn in voorbereiding! Wat niet wegneemt dat u bij mij moet betalen! Vier euro toegang! Kinderen en bejaarden slechts drie euro!'

En Bernie sprong en zweefde, draaide en zwierde, als een gibbon danste hij tussen de ruisende bladeren omhoog en omlaag.

26

Er kwamen nog meer journalisten; van alle grote kranten verscheen er een. Ze maakten foto's en stelden vragen, en ze luisterden nauwelijks naar het antwoord.

En nadat de stukken waren verschenen, waarin weer niets vermeld werd over hekserij, kwam er nóg een televiesieploeg; die maakte een programma over hoe mensen afstamden van apen, wat Bernie al beter vond dan *Leven met een handicap*.

Ook dit programma kwam op tv, en daarna was er geen houden meer aan; uit alle windstreken kwamen nu de dagjesmensen. Bernie was sindsdien overdag geen ogenblik alleen.

Al vanaf de vroege ochtend ging de bel. De toeristen kwamen in grote stromen. De Biesterkrimpse Achterweg was constant verstopt met slordig geparkeerde auto's. Het enige wat Bernie hoefde te doen, was datgene wat hij nu het liefste deed. En dus trad hij op als een kleine trapezewerker, en de mensen vertrapten het gras onder de bomen, en riepen 'Ooo!' en 'Aaah!' als hij deed alsof hij bijna viel of als hij weer een ontstellende zweefduik ondernam.

Soms daalde hij eventjes af naar de aarde. Veel mensen boden hem dan snoep aan, of broodjes, of frisdrank. Veel mensen wilden bovendien een handtekening. Op zulke ogenblikken dook bliksemsnel zijn vader op, die dan riep: 'Een handtekening is twee euro extra! Een kort gesprek komt u op een tientje!'

Meneer King was deze dagen vijf personen, overal verscheen hij op hetzelfde moment. Hij hield de ingang van de tuin in de gaten, hij zorgde voor voldoende wisselgeld en hij lette op wie er met zijn attractie praatte. Hij stuurde een drenzerig jongetje, ene Bertje uit Oirschot, terug naar zijn ouders en hij vertelde iedereen dat híj en niemand anders Bernies vader was, en dat al dat talent waarschijnlijk van hemzelf kwam, natuurlijk met een beetje hulp van de Here. Op zulke momenten wees meneer King omhoog, waarop de mensen eerbiedig staarden naar de zoemende kabels. Bovendien had meneer King, God weet waarvandaan, een safari-jasje op de kop getikt, en een hoed met een papegaaienveer. Hij zag eruit als een mislukte ontdekkingsreiziger, maar hij was zichtbaar in z'n nopjes.

's Avonds laat, als de bezoekers eindelijk weg waren, wreef hij zich in de handen, bekommerde zich niet om eten, maar gooide zijn tas met geld leeg op zijn bureau, en ging in- en ingelukkig de verkreukelde bankbiljetten staan gladstrijken met een strijkbout.

Ook mevrouw King had al snel in de gaten gekregen dat hier te verdienen viel. Er was een vrouw de keuken binnengedrongen, waar ze bezig was met een pan uiensoep; de vrouw had gevraagd of ze een kop kon krijgen.

'Dat is dan euh... één euro,' had mevrouw King aarzelend gezegd.

Sindsdien stond de keuken wagenwijd open en stroomden ook hier de bezoekers af en aan.

Jane, op haar beurt, had zich ziek gemeld op school. Ze had een stoeltje bij de deur van de wc gezet, en daarop hield ze nu de wacht. Zonder een woord van protest nam zij deze nederige rol op zich; iedereen die nodig moest, moest ook hiervoor dik betalen.

En Bernie zelf? Hij vermaakte iedereen, hij at wanneer het hem uitkwam en hij trainde in de takken met een concentratie en een kracht die hij nog nooit eerder had ondervonden. Ja, het was wel vreemd allemaal, maar hij was 's avonds gewoonweg te moe om erover na te denken.

27

Op een ochtend stond Tessa tussen het publiek.

'Joehoe!' hoorde Bernie in de diepte.

Hij herkende haar stem en kwam dadelijk omlaag.

'Wauw!' zei Tessa. 'Jezusmina! Je bent nog veel beter dan eerst!'

'Dank je,' zei Bernie trots.

'Ja mensen!' riep meneer King. 'Daar is-ie dan! Het Biesterkrimpse apenjong! U kunt met hem praten voor twaalf eurootjes! Voor maar vier eurootjes extra ook een handtekening! Neemt u van me aan dat alles levensecht is! De staart! De harige voeten! Geen trucs, dames en heren! Alles puur natuur! Foto's maken kost vijf euro! Ho ho ho, meneer! Mag ik eerst even vangen?'

Zweterig holde meneer King naar een dikke man die stond te filmen.

'Ik ga het dorp in,' zei Tessa. 'Ga je niet even mee?'
'Nou...' zei Bernie.

Wel vijftig mensen stonden hem daar aan te gapen. Ineens had hij genoeg van al die afwachtende koppen.

'Oké dan.'

Toen hij wilde weglopen stond daar alweer zijn vader.

'Momentje, vent! Waar gaan wij heen?'

'Even pauze,' mompelde Bernie.

'Pauze? Dat was de afspraak niet!'

'We hebben geen afspraak,' zei Bernie aarzelend. 'Ik wil graag een kwartiertje weg...'

'Toe nou, jongen! Er staan hier hopen mensen! We verwachten een bus vanuit Tietjerkstradeel! En een complete excursie vanuit Appingedam! En de dames van bejaardenhuis *Zonneglo-ren* komen vanuit Coevorden! En op straat staat er een rij van hier tot gisteren! Dat zijn allemaal inkomsten!'

Bernies gezicht betrok. Het werd hem duidelijk dat het zijn vader dus echt alleen maar ging om wat hij hier verdiende...

'Klim zelf maar omhoog!' zei hij kribbig. 'Ik heb het toch allemaal van jou? Bovendien ben je in die bomen dichter bij de Heer.'

Hij maakte dat hij wegkwam. Tessa holde giechelend achter hem aan.

Op straat stond het inderdaad alweer vol met geparkeerde auto's. Mensen liepen pratend en lachend langs, kauwend op broodjes en likkend aan waterijsjes. Ze herkenden Bernie niet nu hij niet rondklom.

'Wat een toeschouwers,' zei Tessa.

'Ja,' zei Bernie. 'Ik ben er meestal wel blij mee.'

'Logisch. Je bent beroemd. In het dorp praten ze over niks anders meer.'

'Dat is niet het belangrijkste. Dat publiek houdt de Zwellengrebel op afstand.'

Tessa knikte peinzend.

'Heb je nog iets van 'r gemerkt?'

'Ik weet niet zeker. Ik slaap nog steeds onder mijn bed. Soms denk ik dat ik 's nachts word aangekeken. Dan word ik wakker en dan is er niks.'

'Ik zag haar twee dagen geleden nog lopen,' zei Tessa.

Bernie begon te grinniken.

'Een jongetje is in haar tuin terechtgekomen. Een heel vervelend jongetje, dat al had geprobeerd om in een boom te klimmen. Mijn vader had 'm weggestuurd. En toen kroop hij door onder de heg. En kwam hij dus terecht tussen die bloemen! Hij werd meteen gebeten. Daarna sprong hij als een sprinkhaan heen en weer. Hij is zelfs *over* de heg teruggesprongen. En daarna kreeg hij een oorvijg van een van zijn ouders.'

Tessa giechelde.

'Arme jongen,' zei ze.

'De volgende dag waren die bloemen verdwenen,' vervolgde Bernie. 'Nu staat er weer doodgewoon gras.'

'Die jongen wilde gewoon net zo goed zijn als jij.'

'Zelfs dieren komen er soms kijken... Vogels. Laatst nog zat een raaf naast me in de takken. Dat was best leuk. Een echte raaf.'

'Op school ben je een soort van held geworden,' zei Tessa. 'Iedereen heeft 't over jou. Twee meiden roepen zelfs dat ze verliefd zijn op je. Die achterlijke vriendinnen van je zus.'

'Ik heb anders nog niemand van school gezien,' zei Bernie.

'Dat komt door je vader. De toegang wordt steeds duurder. Zelfs ik moest betalen om in jullie tuin te mogen. Tien euro!'

'Serieus? De krent!'

Tessa grinnikte opnieuw.

'Hij doet echt alles voor geld,' ging Bernie verder. 'Er schijnt nog iemand van school te hebben gebeld. Waarom ik niet meer naar de lessen kwam. Mijn vader heeft gezegd dat ik nog ziek was.'

'Ja hoor! En dat geloofden ze?'

'Mijn vader kan heel overtuigend zijn. Hij zal wel hebben beweerd dat ik nog in behandeling ben voor mijn staart.'

'Je hebt maar mazzel,' zei Tessa. 'We krijgen constant proefwerken.'

Zo pratend kwamen ze bij de Grote Markt. Ook daar was het drukker dan ooit. En op alle winkels hingen borden.

Op de videotheek stond: *Alle opnamen van het wonderbaarlijke apenjongetje op één dvd!*

Op de bakker hing de boodschap: *Apenbroodjes met banaan!*

In de etalage van de boekhandel lagen stapels boeken, met als titel: *Het wonder van Biesterkrimp – een ooggetuigenverslag van J. van Wamsveld.*

Op de supermarkt hing de mededeling: *Chocolade apen! Bij elke zak een apenmasker gratis!*

En op de ruit van de slager stond geschilderd: *U schrikt zich een aap als u van onze worst proeft!*

Met grote ogen keek Bernie om zich heen.

'Ik zei het toch?' zei Tessa. 'Je bent echt populair geworden. Iedereen verdient bakken met geld. De mensen zijn tegenwoordig dol op je.'

En inderdaad, even later kwamen ze de oude meneer Van der Wurf tegen.

'Dag Bernie!' zei hij vriendelijk. 'Leuk je te zien, jong! Ga zo door, hè!'

En hij wuifde met zijn wandelstok.

'Ik vind wel,' zei Tessa weer wat later, 'dat je voeten zijn veranderd.'

Bernie liep nu altijd op zijn blote voeten. Zijn schoenen pasten hem allang niet meer; wat niet gaf, want het was veel aangenamer zonder. Het eelt onder zijn zolen was hard en leerachtig geworden.

Bernie keek omlaag.

'Vind je?'

'Ja, echt. Ze zijn nog hariger dan ze al waren.'

Het was waar. Het haar was de laatste tijd gegroeid tot een soort van vacht. Ook op zijn kuiten begon het al, maar dat vertelde hij Tessa maar niet.

Hij haalde zijn schouders op.

'Ik zit de hele dag in die bomen. Logisch dat mijn voeten dan veranderen.'

Het was fijn om hier te lopen met Tessa. Het was fijn om even niet te worden aangestaard, om even niet verplicht te hoeven rondspringen.

'Kom,' zei Tessa. 'Je mag me trakteren op een zak patat. Mijn geld heb ik aan je vader gegeven.'

'Ik heb geen geld,' zei Bernie.

'Hè? Hoezo?'

'Gewoon. Ik heb nog geen cent gekregen.'

Ze stonden voor de snackbar. Ook daarop hing een bord.

'Patatje aap!' las Bernie hardop. 'Vier euro vijftig.'

Ze liepen naar binnen. Wel twintig mensen stonden zich daar te verdringen.

Nauwelijks kreeg Fred hen in de gaten of hij riep: 'Gotsake! Daar hejje hem! Daar hejje dah apenjong! Mien grote vriend!'

Mompelend weken de mensen uiteen, zo ontstond er een pad. Als een kleine koning schreed Bernie naar de toonbank.

'Kunnen wij een patatje krijgen, Fred?'

'Zeker weten van wel!' riep Fred. 'As ik een foto vajje mag maken! In míen snackbar!'

'In dat geval, Fred, willen wij ook nog een nasischijf, twee frikandellen en twee aardbeienmilkshakes.'

28

De dagen trokken voorbij, duikelend en zwevend, en soms leek het Bernie even alsof er geen gevaar bestond, alsof hij voortaan alleen nog maar van 's ochtends vroeg tot 's avonds laat zou moeten optreden voor telkens nieuwe, naamloze kuddes van bewonderaars.

Maar hij wist heel goed dat de heks in de buurt was – onzichtbaar, maar voelbaar. En opnieuw, zoals eigenlijk altijd, was Tessa de enige persoon aan wie hij hier iets over kwijt kon. Ze zaten, alweer meer dan een week later, op zijn kamer, waar ze vruchtensap dronken en bananen aten. Meneer King had, na die ene keer dat zijn attractie zomaar was gevlucht, geroepen dat zijn zoon 'zich zo goed mogelijk moest blijven inleven'. Daarna had hij er persoonlijk voor gezorgd dat er nu steeds de nodige vruchten in huis waren – waarmee hij Bernie dus behandelde alsof die ook werkelijk een aap geworden was.

'Hoi Sjakie,' zei Tessa, met een mond vol banaan.

Ze keek aandachtig naar de slak. Roerloos lag het beest te kauwen op het gras, dat Bernie nu en dan ververste. Hij leek het best naar zijn zin te hebben.

'Zeg Tessa,' zei Bernie. 'Weet je nog hoe Sjakie werd genoemd?'

'Slomo?' vroeg Tessa.

Ze nam een volgende hap.

'Nee,' zei Bernie. 'Hij werd slak genoemd. En hoe werd ik genoemd?'

'Kleine aap,' mummelde Tessa.

'Juist,' zei Bernie. 'En word jij altijd Tessa genoemd door iedereen?'

'Nee,' zei Tessa. 'Niet altijd.'

'Precies! Jij wordt konijntje genoemd. En weet je wat dat betekent?'

'Neu...' zei Tessa aarzelend.

'Dat betekent,' zei Bernie, 'dat *jij* wel eens de volgende prooi van de heks zou kunnen zijn.'

Tessa stopte plotseling met kauwen. Toen liep ze naar het raam.

'En je bent de enige niet,' ging Bernie verder. 'Wat dacht je van Willie Wortel? Of van Boter? Of van dat meisje dat we altijd marmot noemden? Of –'

'Ik begrijp 't al!' viel Tessa hem in de rede.

Ingespannen bleef ze staan turen.

'Jíj hebt voor die bijnaam gezorgd,' zei ze toen.

'O ja?' vroeg Bernie.

'Ja!' zei Tessa. '*Jij* was de eerste die me konijntje noemde. En Willie Wortel heb jij ook bedacht. En marmot ook.'

'Het spijt me,' zei Bernie zacht.

Even waren ze stil.

'Je hoeft je nog geen zorgen te maken, denk ik,' ging hij verder. 'Eerst moet ze mij hebben. Ik ben in haar huis geweest en ik heb haar door. En dus ben ik haar grootste bedreiging. Dat weet ik zeker... Soms hoor ik haar krabbelen, 's nachts, ergens vlak onder mijn raam. En dan schrik ik wakker en heb ik weer het gevoel dat ik bekeken word. Ik *voel* gewoon dat ze me in de smiezen houdt! Zoals een uil loert op een muis. En net zoals die muis kan ík niks zien in het donker. Maar die uil ziet alles! Begrijp je?'

Tessa huiverde.

'Gelukkig zijn er overdag dan tenminste hopen mensen,' zei ze.

'Nou,' zei Bernie. 'Het waren er vandaag wel minder dan de afgelopen dagen. Dus die mensen zullen er niet altijd zijn, denk ik... Ik probeer daarom al tijdenlang iets te bedenken.'

Tessa draaide zich weer naar hem toe.

'Wat probeer je te bedenken?'

'Iets om mezelf te redden. En dus ook de kinderen in het dorp. Ik probeer iets te bedenken om de heks uit de weg te ruimen.'

Tessa knikte onzeker.

'Misschien moet je weglopen.'

'Ik denk dat ze dan achter me aan zou komen... Volgens mij is het 't beste om maar hier te blijven. Nu kan ik haar tenminste in de gaten houden.'

'Ik vraag me af wie precies wie in de gaten houdt,' zei Tessa. 'En nu moet ik eigenlijk naar huis.'

'Ga maar,' zei Bernie. 'Ik let wel op.'

Ze knikte schichtig. Ze trok haar jas aan en liep naar beneden.

Een paar seconden later zag Bernie haar, vanuit zijn raam, wegtrappen. Ze had nog nooit zó hard gefietst.

29

'Bernie!'

Op een mistige, vochtige ochtend stond meneer King te roepen in de diepte. Hij was alleen. Bernie kwam omlaag.

'Zo,' zei meneer King. 'Gisteren was er voor het laatst een bezoeker. Vandaag is er niemand meer gekomen. Ik geloof dat we nu wel kunnen ophouden.'

'Ophouden?' vroeg Bernie.

'Ja. Ik heb mooi verdiend. En je moeder en Jane ook, lijkt me. Het is wel eventjes genoeg geweest. Je hoeft niet meer te doen alsof je een aap bent.'

'O,' zei Bernie.

Daarop liep zijn vader naar binnen. Hij hing zijn safari-jasje en zijn jagershoedje aan de kapstok. Eindelijk hoefde hij niet meer bij het hek te staan en uitleg te geven. Eindelijk hoefde hij niet meer beleefd te doen en kinderen te waarschuwen dat ze niet moesten proberen om in die bomen te klimmen. In de voorkamer ging hij weer eens stapels bankbiljetten zitten tellen, en zijn gezicht werd steeds voldaner.

Bernie was zijn vader naar binnen gevolgd. Hij zag er inmiddels uit alsof hij zo uit het bos was geplukt. Zijn spijkerbroek was gescheurd en er zaten groene vlekken in. En omdat het lang niet was geknipt, was zijn korte, stijve haar uitgegroeid tot een krullende bos. Die bos zat vol met stukjes schors, en Tessa had er op een middag zelfs twee teken uit getrokken.

Verveeld hing Bernie op de bank in de woonkamer. Jane kwam binnen.

'Kijk,' zei ze aarzelend. 'Dit heb ik gekocht...'

Dagenlang had ze doorgebracht op haar stoeltje naast de plee. Ze had een enorm spaarvarken kunnen opvullen met munten. Nu had ze zichzelf beloond met het kopen van een reusachtige levensechte pop. Ze plaatste het ding naast zich op de bank. Het was net alsof er werkelijk iemand zat.

'Hoe oud ben jij nou eigenlijk?' bromde Bernie.

Jane haalde haar schouders op.

'Speel ik de hele dag voor Tarzan?' vroeg ze.

Minachtend keek Bernie haar aan. Een nieuwe pop! Soms, vond hij, leek zijn zus wel simpel.

Daarna bedacht hij dat die pop wel op hem leek; haast net zo groot als hijzelf en bovendien met hetzelfde krullende, lichtbruine haar, iets langer misschien, maar toch, van een afstand...

Onverhoeds stond hij op. Even ijsbeerde hij heen en weer door de kamer, knikkend en mompelend. Toen liep hij de kamer binnen waar zijn vader zat, te midden van zijn geld.

'Hallo,' zei Bernie.

Zijn vader zat dromerig te staren naar het scherm van zijn computer.

'Heb je veel verdiend, pa?'

'O ja,' zei meneer King afwezig. 'De Heer zij geprezen! Kijk toch... Ziet dit er niet heerlijk uit?'

Hij wees naar het scherm, waarop het Vrijheidsbeeld te zien was.

'Heel leuk,' zei Bernie. 'Zeg pa, hoeveel krijg ik?'

De verzaligde blik in de ogen van zijn vader ebde weg. Hij

keek alsof hij werd opgebeld terwijl hij in een heerlijk warm bad lag.

'Zo! Jij wilt dus zakgeld.'

Bernie had dit, zoals eerder vermeld, nog nooit in zijn leven gekregen. Steeds waren er wel weer redenen geweest waarom meneer King zijn kinderen niets had hoeven geven.

'Graag ja,' zei Bernie. 'Ik ben braaf genoeg geweest de laatste tijd, lijkt me.'

'Nou,' zei meneer King zuchtend. 'Voor deze keer dan. Maar we maken er geen gewoonte van. Hebzucht is des duivels oorkussen.'

Hij overhandigde zijn zoon tien euro.

'Is dat alles?' vroeg Bernie.

'Hoezo?' zei meneer King. 'Je mag hier toch wonen? Je krijgt de hele dag gratis eten en je hebt zelfs een eigen slaapkamer. Je hele opvoeding wordt door mij betaald, jongeman. Heel Amerika heb ik zowat verkocht om dit huis af te betalen! Moet je nou nóg meer?'

'Ja!' riep Bernie. 'Ik wil het geld van de afgelopen weken! *Ik* heb dat toch verdiend?!'

'Tut tut,' zei meneer King. '*Wie* heeft dat hek gemaakt? *Wie* heeft er wekenlang in de achtertuin gestaan? En trouwens, *wie* heeft de rekening moeten betalen nadat jij die auto in de prak had gereden?! Denk je daar ook nog even aan? Ondankbaarheid is 's werelds loon en inhaligheid een van de zeven gepekelde zonden! Nou, vooruit... Hier heb je nog een tientje. En nu wegwezen.'

Met de twee tientjes in z'n zak stapte Bernie naar de keuken. Daar stond zijn moeder in de geur van een vleespastei die in de oven gaar stond te worden. Mevrouw King was dunner dan ooit. Blijkbaar had het haar goed gedaan om al die mensen van voedsel te voorzien.

'Dag ma,' zei Bernie.

Mevrouw King gaf een kort knikje en ging verder met het kloppen van slagroom.

'Eh... Ik wil graag wat geld.'

Het gezicht van mevrouw King verstrakte.

'Je hebt toch soep en taart verkocht?' vroeg Bernie behoedzaam. 'Al die bezoekers kwamen voor mij. Dus ik wil wat geld.'

Mevrouw King dacht even na. Toen pakte ze uit haar schort een enorme bundel bankbiljetten. Hiervan gaf ze Bernie één tientje.

'Ik wil eigenlijk nog wat meer,' zei Bernie.

Nu keek mevrouw King hem kregel aan.

'Wil je niet liever wat te eten?' vroeg ze.

'Nee. Ik wil graag nog wat geld.'

'Luister Bernie. Weet jij waar ik voor aan het sparen ben?'

'Nee,' zei Bernie.

'Voor jouw operatie. Ja! Dat had je niet gedacht, hè.'

Mevrouw King knikte ernstig.

'En nu mijn keuken uit,' zei ze.

30

De volgende morgen, na het ontbijt, riepen meneer en mevrouw King hun kinderen bij zich in de woonkamer.

'Zo,' zei meneer King. 'Kinderen, het heeft de Here behaagd ons te zegenen met het slijk der aarde. Mijn gebeden zijn verhoord. En dus kunnen jullie moeder en ik eindelijk eens op een welverdiende vakantie.'

Janes mond viel open.

'Op vakantie...? Gaan jullie... *op vakantie*?'

'Dat heb je goed gehoord,' zei meneer King. 'Wij hebben hard gewerkt. Nu gaan we naar Amerika. Half Amerika heb ik verkocht tenslotte, ik wil 't nou ook wel eens *zien*. Nu ja. Het was een aanbieding.'

'Maar... Maar wanneer gaan jullie dan?'

Mevrouw King keek op haar horloge. Het viel Bernie op dat ze gekleed was in een nieuwe, hagelwitte jurk.

'Eens kijken,' mompelde mevrouw King. 'We hebben nog tweeënhalf uur voordat we op het vliegveld moeten zijn.'

'Wat? Gaan jullie nú weg?'

'Een lastminutevlucht,' zei meneer King.

'Wat is dat?'

'Dat is dat we zo weg moeten.'

'Maar wie zorgt er dan voor ons?' vroeg Jane verbijsterd.

'Kindje toch,' zei meneer King. 'De Here zal altijd op jullie toezien. Dát weet je toch zo langzamerhand wel? Maar jullie hoeven je geen zorgen te maken. Je moeder heeft een oppas geregeld.'

'Een wát?!'

'Een oppas. Van zo'n bureau dat je kunt bellen. Ze had hier al moeten zijn.'

Jane trok wit weg. Bernie voelde een pijnlijke steek in zijn voorhoofd.

'Maar mogen wij dan niet *mee*?' vroeg hij.

Mevrouw King leek een beetje te schrikken van de toon waarop dit werd gevraagd. Maar meneer King was absoluut niet van zijn stuk gebracht.

'Lieve jongen,' zei hij kalm. 'Je gúnt het ons toch wel? De afgunstigen gaan rechtstreeks naar het vagevuur! Dus je kunt maar beter niet egoïstisch zijn. Die oppas kost ons trouwens een lieve duit. En zó slecht gaat het nou ook weer niet met je, dat heb je wel bewezen de afgelopen tijd! Je kunt hier toch heerlijk klimmen en klauteren? Wat je er verder nog mee verdient mag je allemaal houden.'

Daarop liepen beide ouders naar boven. Toen ze even later met hun koffers naar beneden kwamen, ging de bel.

'Bernie, ga jij even opendoen.'

Met loden voeten liep Bernie naar de voordeur. Daarachter stond een klein, popperig vrouwtje met een halfrond brilletje.

'Zo!' zei ze, met een hoog stemmetje. 'Jij bent Bertrand, denk ik!'

Het vrouwtje stapte kwiek naar binnen.

'Mijn jas!' zei ze, en ze hield haar armen naar achteren.

Verbaasd pakte Bernie haar wollen jas. Het vrouwtje was nog kleiner dan hijzelf. Misschien zou het nog meevallen, die oppas. Zijn vader verscheen in de gang.

'Ha! Juffrouw... Juffrouw...?'

'Juffrouw Fietje!' zei het vrouwtje kordaat. 'En u bent zeker meneer Kriem.'

Bernie smeet intussen de jas van juffrouw Fietje in een hoek. Dat mens moest toch niet denken dat hij hier de butler was. Abrupt draaide ze zich om.

'Berthold!' kefte ze. 'Wat zijn dát voor streken!'

Ook Bernies vader kwam erbij staan.

'Bernie,' zei hij. 'Je moet wel je best doen om ervoor te zorgen dat juffrouw Fietje zich hier thuis gaat voelen.'

'Oprapen, jongeman!' kefte juffrouw Fietje.

Ze greep Bernie bij een oor en duwde hem in de richting

van de jas, die als een droevig vod op de vloer lag.

'Au!' riep Bernie.

Hij raapte de jas op en hing hem aan de kapstok.

'Dat is beter,' zei juffrouw Fietje. 'Ik denk, Bartholdus, dat wij het prima met elkaar gaan vinden.'

Bernies oor gloeide. Met meneer King liep juffrouw Fietje naar de woonkamer.

'Boodschappengeld ligt in het dressoir,' zei mevrouw King even later. 'Zullen jullie aardig zijn voor juffrouw Fietje?'

'O, we gaan een reuzegezellige tijd tegemoet!' zei juffrouw Fietje monter.

'God zegen jullie, kinderen,' zei meneer King. 'Maak je geen zorgen over ons. Over drie weekjes zijn we weer terug.'

Met hun koffers stapten ze naar buiten.

'Zo!' zei juffrouw Fietje handenwrijvend. 'We zullen eerst eens afwassen. Dat lijkt me een mooie taak voor jou, jongedame!'

31

Gedurende de rest van de middag werd er schoongemaakt. Juffrouw Fietje leidde de werkzaamheden alsof het een militaire operatie was. Bernie en Jane kropen met dweilen over de vloer, gingen met stofdoeken over de vensters en stonden met pannensponsjes de drempels te schuren. Ze begrepen nauwelijks wat hun overkwam; juffrouw Fietje keek met haviksogen over hun schouders mee. Elk pluisje, elk stukje spinrag, elke snipper die ze hadden overgeslagen werd opgemerkt. En toen de keuken, de wc, de vloer van de woonkamer en de trappen glommen alsof ze nieuw waren, toen klapte juffrouw Fietje in haar handen.

'Zo kinders!' riep ze. 'Nu wordt er theegedronken!'

Het was een merkwaardige verandering voor Bernie en Jane, die gewend waren aan hun ouders, die nooit iets eisten, alleen dat er samen werd gegeten. Juffrouw Fietje nipte met een opgeheven pink haar thee, uit een van de porseleinen kopjes die nog nooit waren gebruikt.

'Niet slurpen, Bartje!' zei ze. 'Thee moet met waardigheid worden gedronken. En jij gaat voortaan binnen pantoffels dragen, jongeman. Die vieze blote voeten! Die wil ik niet meer zien! O, jullie hebben nog veel te leren! En jij, Jannie, heb jij geen andere kleren dan die rafelige spijkerbroek? Heb je niet een leuke jurk? Dit zijn jongenskleren.'

Jane schrok op.

'Hè... Wat?'

'Pardon?' zei juffrouw Fietje.

Jane bleef suffig terugkijken.

'Je bedoelt: "Wat, *juffrouw Fietje*!"' kefte juffrouw Fietje.

'Nee,' zei Jane. 'Dat is niet wat ik in gedachten had.'

Bernie grinnikte.

'Binnenpretjes,' zei juffrouw Fietje streng. 'Mag ik meelachen?'

'Ik dacht 't niet,' zei Jane.

'Naar je kamer!' commandeerde juffrouw Fietje.

'Doe normaal!' zei Jane. 'Ik –'

Op dat ogenblik kreeg juffrouw Fietje haar oor te pakken.

'Ik ben gewend de dingen maar één keer te hoeven zeggen, Jannie!'

'Au... Juffrouw Fietje!'

Stampend vertrok Jane naar haar kamer. Nu zat Bernie alleen met het vrouwtje aan tafel. Hij besefte dat dit een catastrofe was; drie weken met deze allesreinigende dwerg. Hier moest krachtig worden opgetreden.

'Juffrouw...' begon hij.

'Ja, Barnhard?'

'We hebben geen suiker meer.'

'O.'

'Ik drink altijd thee met suiker.'

'Dan ga je toch even boodschappen doen, jongen.'

'De winkels zijn al dicht,' zei Bernie. 'Maar misschien kunnen we wat lenen bij de buurvrouw.'

'Goed idee, Barthold. Vraag dan meteen of ze nog wat wc-papier heeft.'

'Ach, juffrouw Fietje,' zei Bernie. 'Misschien kunt u het even doen. Ik heb erge last van één van mijn enkels. Daarom loop ik op blote voeten, ziet u.'

Juffrouw Fietje begon hinnikend te lachen.

'Nou Bartelt, jij weet het wel te brengen, hè! Maar vooruit, ik zal het doen voor deze keer. Dan maak ik meteen kennis met de buren. Maak jij intussen een sopje voor de ramen?'

'Ja, juffrouw Fietje.'

Juffrouw Fietje knikte.

'Ik denk, Bartolomeus, dat wij een héél genoeglijke tijd tegemoet gaan.'

Met kittige stapjes liep ze naar de voordeur. Nauwelijks was ze buiten of Bernie riep Jane.

'Wat?!' riep Jane terug.

'Wat, juffrouw Fietje, bedoel je!' riep Bernie. 'Kom naar beneden!'

Jane kwam de trap af rennen.
'Kijk!' zei Bernie triomfantelijk.
Zo zagen ze, staand achter het raampje van de voordeur, hoe juffrouw Fietje aanbelde bij de Zwellengrebel.
'Goeie help!' zei Jane. 'Heb jij... Heb jij haar naar de heks gestuurd?'
Bernie knikte.
Het was heel spannend. De deur ging open en daar verscheen de Zwellengrebel in eigen persoon. Argwanend keek ze naar het popperige vrouwtje, dat druk stond te gebaren. Eén keer wees juffrouw Fietje naar het huis van de familie King. Bernie en Jane maakten zich zo onzichtbaar mogelijk. Toen stapte juffrouw Fietje naar binnen en de deur klapte dicht achter haar rug.
'Nou,' zei Jane. 'Die zien we niet meer terug.'
'Laten we het hopen, Jannie,' zei Bernie.
Maar het duurde niet lang of de deur ging weer open. En daar verscheen juffrouw Fietje met een rol pleepapier en een zakje suiker in haar handjes. Ze riep nog iets naar achteren, maar de deur was alweer gesloten.
'Shit,' zei Jane. 'Ze heeft 't overleefd.'
Juffrouw Fietje trippelde over het tuinpad van het heksenhuis. En plotseling ging ze omhoog. Even hing ze een meter boven de grond. Ze keek verbijsterd omlaag.
Toen kreeg de wind haar te pakken. Juffrouw Fietje werd de lucht in geblazen. Door hun raampje zagen Bernie en Jane haar tollend verdwijnen, hoog boven de straat. Ze bleef de rol en het zakje suiker vastklemmen.
'Zo kinders!' zei Bernie. 'We gaan een reuzegezellige tijd tegemoet!'

32

Jane en Bernie holden naar het grote dressoir van hun moeder; een erfstuk met veel laatjes.

'Driehonderd euro!' riep Jane, toen ze het vierde laatje opentrok. 'Ze hebben driehonderd euro achtergelaten!'

'Delen!' zei Bernie.

'Ik dacht 't niet,' zei Jane. 'Ik moet de komende tijd op jou passen. Dus ík moet voor het eten zorgen. Dit is de huishoudpot. En zoveel is het niet.'

'Maar ik heb dat geld nodig,' zei Bernie. 'En ook die nieuwe pop van jou.'

'Hè? Waarvoor dan?'

'Voor het uitschakelen van de heks,' zei hij zacht. 'Ik heb een plan. Dat heb ik al sinds gisteren... Sinds jij die pop gekocht hebt eigenlijk...'

En hij begon met het uitleggen van zijn plan.

Jane was steeds verschrikter gaan kijken.

'Wil je dat écht allemaal doen?' vroeg ze uiteindelijk.

Bernie knikte.

'Als ik die heks niet opruim ga ik eraan,' zei hij. 'En bovendien... bovendien moet er iets gebeuren. Moeten we de betovering opheffen. Niet alleen van Sjakie de slak. Maar ook van mij...'

Bernie trok zijn broekspijpen omhoog.

'Kijk,' zei hij.

'Godsamme...' zei Jane.

Bernies benen waren intussen volledig begroeid met een vacht van haar.

'Precies,' zei Bernie. 'Ik verander steeds verder in een aap. Die heks moet weg. Misschien dat het dan ophoudt... En anders gaat ze door. Ook met andere slachtoffers, bedoel ik.'

Jane stond geschokt te staren.

'Je hebt gelijk,' zei ze toen nogal droefgeestig. 'Neem dat geld maar. Ik heb behoorlijk verdiend door bij de plee te zitten. We redden het wel. Ik zorg de komende tijd voor eten.'

Bernie keek haar dankbaar aan.

'Jij bent een stuk aardiger dan vroeger.'

'Jij eigenlijk ook,' zei Jane. 'Het doet je blijkbaar goed dat je een aap aan het worden bent.'

Bernie pakte de driehonderd euro.

'Zeg,' zei Jane nog. 'Had je niet aan pa kunnen vragen of die je kon helpen?'

'Heb ik gedaan. Min of meer. Maar pa is nog gieriger geworden dan hij al was. En ma... Ach... Ik heb in het begin wel geprobeerd om het uit te leggen. Maar dat had geen zin. Het interesseerde haar niet eens.'

Jane knikte.

'We staan er met z'n tweeën voor,' zei Bernie. 'Nou ja... Tessa wil misschien wel meedoen.'

Jane tuurde beteuterd om zich heen; het huis leek opeens heel leeg.

'Het is hier wel schoon geworden,' zei Bernie.

33

Toen Tessa de volgende dag van het plan hoorde zei ze meteen: 'Ik doe mee!'

'Alles kan mislukken,' zei Bernie. 'En dan zijn we erbij.'

Tessa knipperde even met haar ogen.

'Het moet gewoon,' zei ze. 'Natuurlijk zou ik het doen om jou te helpen. Maar ik doe het ook voor mezelf.'

'Dat is waar,' zei Bernie. 'Afgesproken dan.'

Samen liepen ze naar de feestwinkel in het dorp. Daar kochten ze voor driehonderd euro aan vuurwerk; een hele zak vol, en ze kregen zelfs nog wat gratis, want de eigenaar van de winkel had goed verdiend aan apenstickers en sloffen-die-leken-op-apenvoeten.

'Denk je echt dat 't hiermee lukt?' vroeg Tessa, terwijl ze terugliepen.

'Heb jij soms een beter idee?' zei Bernie.

Hij bukte zich en raapte een paar stenen op.

'Ik weet niet,' zei Tessa. 'Dit is zo'n *film*achtig plan. Net alsof het niet echt gebeurt.'

Bernie knikte.

'Dat heb ik de laatste tijd ook,' zei hij. 'Eerst die heks. Toen al die mensen. Daarna gaan mijn ouders op vakantie en vliegt de oppas weg. Het is allemaal net een droom. Maar als ik straks veranderd ben in een aap, en jij in een konijn of zoiets, nou, dan is die droom voorgoed voorbij.'

Tessa rilde.

Weer thuis stonden Janes vriendinnen in de woonkamer.

'Hoi!' zeiden ze.

Ze gingen voor Bernie staan alsof ze hem ergens op beoordeelden. Het waren twee lange, mooie meiden, met make-up en oorbellen. De één had zwarte haren, de andere vuurrood.

'Zo,' zei Bernie wat verlegen. 'De zittenblijversclub.'

'Ik heb ze opgebeld,' zei Jane. 'Ik dacht, wat steun...'

'Hoi,' zei Tessa knorrig.

'Ik ben Kimberly,' zei het zwartharige meisje. 'Ga jij straks voor ons klimmen?'

'Ja!' zei de roodharige. 'We hebben je gezien op de tv. Wat jij allemaal kunt, dat is gewoon hartstikke gaaf. En trouwens, ik ben Natasha.'

Bernie voelde zich kleuren.

'Eigenlijk zou ik eerst graag de heks uit de weg ruimen,' zei hij.

Kimberly en Natasha zetten grote ogen op.

'De Zwellengrebel, bedoel je? Dat mens met die idiote jassen? Serieus? Ga jij die *uit de weg ruimen*?!'

Bernie knikte.

'Dat is wel de bedoeling.'

'Cool!' riep Kimberly. 'Daar wil ik bij zijn!'

'Ja!' riep Natasha. 'Mogen we komen kijken?'

'Ik zou maar oppassen,' mompelde Tessa, die ineens heel nukkig leek te zijn. 'Straks verandert ze jullie nog in lellebellen.'

Kimberly begon te schateren.

'Niks aan de hand,' zei ze jolig. 'Want dat zijn we al!'

Rondom het aquarium, op Bernies kamer, stonden ze te kijken naar Sjakie de slak. Bernie legde uit hoe hij Sjakie had gevonden. Hij vond het aangenaam om zijn verhaal kwijt te kunnen aan mensen die leken te geloven dat het werkelijk zo was gegaan.

'Doeg Sjakie!' riep Kimberly. 'Wuif eens effe!'

'Ja Sjakie!' schreeuwde Natasha. 'Laat die handjes wapperen!'

Sjakie kauwde op een paardenbloemblaadje, verder deed hij niks.

'Altijd al een behoorlijk sloom joch geweest,' zei Kimberly teleurgesteld.

'Het is wel zielig,' zei Jane.

'Daar gaan we dan nu wat aan doen!' zei Bernie. 'Kom op, Jane. Haal die nieuwe pop.'

In de woonkamer werd de pop van Jane uitgekleed. Daarna sneed Jane met een broodmes de rug open. Een meewarig gezicht trekkend probeerde ze het zo pijnloos mogelijk te doen.

'Stel je niet aan, Jane,' zei Kimberly. 'Het is gewoon een stom ding van plastic.'

'Ja,' zei Natasha, die haar lippen stond in te smeren met rode lippenstift. 'Het wordt tijd dat je met jongens gaat spelen. Dan ben je die achterlijke poppen zo vergeten.'

'Het is al goed,' zei Jane neerslachtig. 'Ik koop ooit wel een nieuwe.'

De pop was vanbinnen hol.

'Dat dacht ik al,' zei Bernie. 'Nu moeten we het buskruit uit het vuurwerk halen.'

Hij gooide de tas leeg op tafel.

'Kijk,' legde hij uit. 'We moeten die pop dus opvullen met buskruit. En dan maken we de pop weer dicht, maar we zorgen dat er een lont uitsteekt. Dan kleden we hem aan met een paar van mijn oude kleren. En dan leggen we hem vannacht in de achtertuin van de heks.'

'Ja, én?' vroeg Kimberly.

'Dat snappen jullie toch wel?' zei Bernie. 'Die pop lijkt in het donker sprekend op mij!'

'Tja,' zei Natasha. 'Wel een beetje, ja. Dezelfde gouden lokken, al moeten we die misschien een beetje bijknippen. Mag ik even aan je haar voelen?'

'Liever niet... Oké. De heks moet mij hebben, dat weet ik zeker. Dus als die pop daar ligt, dan gooien we stenen tegen haar ruit. Dan verschijnt ze voor het raam. En als ze dan denkt dat ík daar lig, dan komt ze naar buiten. En als ze dan bij die pop staat steken we de lont aan en...'

'KABOEM!' riep Kimberly.

Ze lachten allemaal heel hard, behalve Jane.

'Oké dan!' zei Natasha. 'Heb je nog meer scharen?'

Bernie haalde scharen en messen, en de verdere middag zaten ze rondom de tafel rotjes en donderslagen open te peuteren, en het buskruit goten ze in de pop.

Eindelijk was de pop tot aan zijn tenen vol. De lonten hadden ze bewaard, die knoopten ze zorgvuldig aan elkaar. Zo kregen ze één lange lont van zo'n veertien meter.

Ze duwden de lont in het kruit en plakten de pop met plakband dicht. Ze kleedden hem aan met een oude broek en een T-shirt van Bernie. Ze knipten het haar bij, totdat het leek op Bernies kapsel. Nu was de bom voltooid. Ze stonden er tevreden omheen.

'Vannacht,' zei Bernie. 'Vannacht blazen we de heks op.'

'Wauw!' riep Kimberly. 'Net echt! Wij blijven hier!'

'Wel onze mobieltjes uit, schat,' zei Natasha. 'Jouw moeder belt anders zeker. Mijn ouders zijn daar wat relaxter in.'

Bernie tilde de pop op.

'Niet te zwaar. Ik voel dat 't gaat lukken.'

'Jij bent een held, Bernie!' riep Kimberly. 'Ik wil je zoenen!'

'Ik ook!' riep Natasha. 'Ik wil hem ook zoenen!'

Bernie werd van twee kanten omhelsd.

'Die staart vind ik ook zo gaaf!' zei Kimberly.

'Lekker jongetje,' fluisterde Natasha. 'Wil je over een paar jaar een keertje met me uit?'

'Stomme trutten,' mompelde Tessa.

Kribbig keek ze toe hoe Bernie zich met rode wangen losmaakte uit de armen van de meisjes.

34

Die nacht was alles gehuld in een diepe rust; het enige wat hoorbaar was, was het zachte gezoem van de hoogspanningskabels, ergens in de hoogte. Tessa en Bernie waren naar buiten gelopen, de achtertuin in. Kimberly, Natasha en Jane volgden hun acties van achter het raam van de woonkamer.

Duister en onheilspellend tekende het huis van de heks zich af tegen de zwartpaarse, bewolkte hemel. Het hachelijkste deel van Bernies plan was aangebroken: ze moesten de pop neerleggen op een opvallende plek in de achtertuin van de Zwellengrebel.

Zo geluidloos als ze konden kropen ze door een gat in de heg en daarna verder over het gras. Muisstil lieten ze de pop, liggend op zijn buik, achter bij het terras. Wegschuivend rolden ze de lont uit.

Achter in de tuin waren wat struiken. De lont reikte net

tot bij een grote hulststruik. Daaronder gingen ze liggen. Nu moesten ze de heks naar buiten zien te lokken. Hiervoor had Bernie zijn jaszak volgestopt met kiezelstenen. Hij gooide er één tegen haar slaapkamerraam op de eerste verdieping.

Pats!

Het kletterde tegen de ruit. Ze doken in elkaar. Daar lag de pop, op veertien meter afstand, vagelijk waren de omtrekken zichtbaar. Het was werkelijk net alsof Bernie zelf daar lag. Maar er gebeurde intussen niets. Bernie wierp nog een steentje.

Pats!

Weer wachtten ze. Weer geen reactie. Bernie gooide nu twee steentjes.

Ta-dak!

Het had geklonken alsof de ruit aan scherven brak. Maar de heks moest wel diep slapen; alles bleef doodstil.

'Hé!' riep Bernie.

Tessa kromp naast hem in elkaar van schrik.

'Hé!' riep Bernie nog wat harder. 'Hé! Ouwe taaie! Hier is de kleine aap!'

Op dat ogenblik kwam de maan tevoorschijn, alles werd verlicht. De maan, zagen ze, was geen cirkel of een sikkel – hij was vierkant... En in het melkachtige, blauwe schijnsel bewoog er iets. Maar het was niet de heks; het was de pop zelf die zich daar nu verroerde.

Eerst een hand...

Toen een arm...

Langzaam kwam de pop tot leven, de linkerarm graaide om zich heen, de rechterarm kromde zich; en de pop werkte zich moeizaam van de grond...

Perplex lagen Bernie en Tessa toe te kijken hoe de pop houterig overeind ging zitten. Even flitsten een paar blauwgroene vonken om zijn hoofd.

Plotseling sprong de pop op zijn voeten. Zo bleef hij wankelend staan.

Bernie drukte zich nog wat dieper neer op de plaats waar hij lag. De pop nam een aarzelende, waggelende stap. En daarna nog een. Traag, pas voor pas, kwam de pop naar hen toe gelopen.

Met een ruk schoot Bernie overeind. In één beweging graaide hij de meegenomen aansteker tevoorschijn, draaide hem aan en hield het vlammetje bij de lont. Als een sissende vuurvlieg schoof het gloeipunt van hen weg...

De daaropvolgende klap dreunde door de achtertuinen. Een wolk van vuur bolde zich omhoog. Er klonk een ijzingwekkend gekrijs en daarna het geluid van rennende stappen. Tussen de rookwolken en de dwarrelende, schroeiende stukjes plastic zeilde een rond voorwerp omlaag. Het kwam met een bons neer voor Bernies voeten. Pas toen hij het oppakte zagen ze wat het was: het was het poppenhoofd.

Sidderend keek Bernie naar het poppengezicht. De mond trok zich samen en even smakten de lippen. Toen zei het hoofd schrapend, maar verstaanbaar: 'Je ontsnapt me niet.'

Bernie gooide de kop van zich af. Achter Tessa aan rende hij weg; als gekken vluchtten ze terug naar zijn huis. Daar werden ze binnengelaten door Kimberly.

Trillend en snakkend naar adem zaten ze in de woonkamer. Alle deuren waren op slot, de gordijnen waren dicht.

'Wat is er nou ge*beurd*?!' vroeg Jane telkens weer. 'We konden het niet zien! Hebben jullie haar te pakken?'

'Het was zó gaaf!' zei Kimberly. 'Die explosie! Klasse, man!'

Bernie schudde beverig zijn hoofd.
'Ze leeft nog...' zei hij uiteindelijk met overslaande stem.
'Shit!' zei Natasha. 'Nou moeten we nóg een pop hebben!'
Bernie huiverde.
'Geen poppen meer,' zei hij.

De hele verdere nacht bleven ze daar. Geen van allen durfden ze naar buiten; ze waagden zich niet eens alleen naar de keuken, om iets te pakken uit de koelkast. Alleen Kimberly en Natasha schenen wat minder bang te zijn.
'Ik blijf het gaaf vinden,' zei Kimberly. 'Die ontploffing en alles.'
'Ja, Bernie,' zei Natasha. 'Als die heks dood is gaan we samen uit.'
'Ja!' zei Kimberly. 'En als je opgepakt wordt wegens moord kom ik je opzoeken in de gevangenis.'
'Ja!' zei Natasha. 'En dan nemen we een taart voor je mee met een vijl erin.'
'Ja!' zei Kimberly. 'Of we komen met je zoenen in de cel.'
'Tessa heeft ook meegedaan,' zei Bernie zwakjes.
'Ja,' zei Natasha. 'Maar die gaan we niet zoenen.'
'Nee, man,' zei Kimberly. 'Wij vallen niet op meisjes.'
'Precies,' zei Natasha. 'En Tessa heeft ook geen coole, toffe staart.'
'Wel konijnentanden,' zei Tessa.
Even keken Kimberly en Natasha verrast. Daarop begonnen ze te schateren.
Buiten begon het langzaamaan te schemeren. Soms moest iemand naar de wc. Dan gingen de anderen mee en stonden ze te wachten bij de deur.
Pas in het broze licht van de nieuwe ochtend staarde Bernie

tussen de gordijnen door naar buiten. Achter hem stonden de meisjes. In de achtertuin van de heks was een enorme krater.

'Goeie kuil,' zei Kimberly.

Maar Bernie kon er niks goeds in ontdekken.

'Het is mislukt,' zei hij somber. 'Maar volgens mij kunnen jullie nu wel eens naar huis.'

35

Kimberly en Natasha trokken hun jassen aan. Ze keken elkaar aan.

'En jullie dan?' vroeg Kimberly.

'Ja,' zei Natasha. 'Blijven jullie *hier*?'

Het drong tot Bernie door dat dit niet bepaald een leuk vooruitzicht was. Ook Jane kreeg iets paniekerigs.

'Eh... Tessa,' begon Bernie. 'Misschien kunnen we een tijdje bij j–'

'Jullie kunnen bij mij logeren,' viel Kimberly hem in de rede. 'Ik woon alleen met mijn moeder. Die vind 't vast wel goed. We hebben ruimte zat.'

'Ja?' vroeg Jane. 'Kan dat echt?'

'Geen punt.'

Bernie rende naar boven en pakte het aquarium; hij kon Sjakie niet zomaar achterlaten. Alle vijf keken ze door het ruitje van de voordeur naar het heksenhuis.

'Ik zie geen bal,' zei Kimberly. 'Niks raars, bedoel ik.'

'Ik denk dat we het er wel op kunnen wagen,' zei Bernie. 'Zolang we maar bij elkaar blijven. En weten jullie hoe je kunt zien dat de Zwellengrebel in de buurt is? Dan gebeurt er iets wat niet logisch is. Dan staat er een regenboog boven haar huis of de maan is vierkant. Altijd iets wat niet klopt. Nu is alles normaal, lijkt me.'

'Oké,' zei Natasha. 'We gaan. Het eerste stuk kunnen we rennen.'

'Ik tel tot drie,' zei Bernie. 'Dan gooi ik de deur open. Zijn jullie klaar?'

De meisjes knikten.

Bernie telde: 'Eén... twee... DRIE!'

Hij smeet de voordeur open en draafde over het tuinpad. De planten in de voortuin leken opzij te duiken; maar hij wist dat dit alleen zo leek omdat hij zelf zo hard liep. Hij bereikte de straat, en even keek hij achterom. Het was te merken dat hij in de afgelopen weken een geweldige conditie had gekregen; de meisjes liepen wat ze konden, maar ze bleven ver achter. Vooral Jane, die kwam als allerlaatste; puffend en steunend waggelde ze voort.

Er was verder buiten nog geen mens. Ze holden door de uitgestorven, grijze straten, Bernie telkens voorop, en telkens wachtend bij iedere hoek. Opnieuw keek hij achterom. En zo zag hij hoe, achter hen, een paar reusachtige kikkers omlaag kwamen tuimelen vanuit de lucht.

'Harder!' riep hij. 'Harder!'

Meer kikkers kwamen naar beneden. Ze smakten op het asfalt, waar ze versuft bleven zitten.

Kimberly, vlak achter Bernie, begon te giechelen.

'Je staartje wappert in de wind!' riep ze.

Drie straten verder hielden ze in, weer om Jane de kans te geven om hen bij te halen. Blazend kwam ze aangehobbeld.

'Lieve schat,' zei Natasha, toen Jane eindelijk met een rood hoofd naast hen stond. 'Zul je volgend jaar wat minder spijbelen van gym?'

Jane reageerde niet. Even leek ze haast te moeten overgeven.

'Zagen jullie die kikkers?' zei Bernie. 'Zagen jullie ze *vallen*?!'

Tessa knikte.

'Maar de heks...' zei ze hijgend. 'Die heb ik niet gezien.'

'We moeten verder,' zei Bernie. 'Laten we eerst Tessa thuisbrengen.'

Sluipend en rennend, voortdurend rondspiedend, brachten ze Tessa naar haar voordeur.

'Je kunt ons bellen, hoor,' zei Kimberly. 'Heb je m'n mobiele nummer?'

Kimberly schreef het op een papiertje en gaf dat aan Tessa. Bernie keek Tessa aan. Voor het eerst zag hij, behalve angst, ook jaloezie in haar blik.

'Ik bel je wel,' zei hij. 'We zien elkaar gauw weer, konijntje.'

'Afgesproken, aapje,' zei ze.

En ze ging naar binnen.

Zonder problemen bereikten ze wat later een rijtjeshuis in een nieuwbouwbuurt. Nauwelijks stonden ze in de gang of een wat kreukelig vrouwengezicht verscheen boven aan de trap.

'Ja!' riep de vrouw. 'Wie was het dit keer?!'

'Doe normaal, mam!' riep Kimberly omhoog. 'Ik ben niet uit geweest. Ik was gewoon bij Jane.'

'En dat moet ik geloven... Hè? Wie heb je daar bij je?'

'Dit is Natasha, weet je nog? En dit is Jane. Ze is nu alleen

een beetje paars. En dit is haar broer.'

'Wat... Wat ís dit allemaal? Komen jullie van een feest?'

'Laat ze nou eerst even binnen!' zei Kimberly. 'Dan leggen we alles uit.'

'Nou, kom dan maar boven.'

In een rommelige eetkamer liep Kimberly's moeder rond in een gebloemde kimono, ze schonk voor iedereen bekers thee in.

'Zo meisje,' zei ze ten slotte. 'Ik ben blij dat je je oude moeder weer eens komt bezoeken. En kom nu maar met je smoes.'

'Niks smoes!' zei Kimberly. 'Jane en Bernie waren gewoon alleen. Hun ouders zijn namelijk op vakantie. En ze hebben Jane en Bernie achtergelaten en die waren hartstikke bang. Dus hebben Natasha en ik ze gezelschap gehouden. En nu heb ik gezegd dat ze bij ons kunnen logeren totdat hun ouders terug zijn.'

Natasha knikte.

'Echt waar, mevrouw Dorestijn. Zo is het gegaan.'

Mevrouw Dorestijn keek wantrouwig in de richting van Bernie en Jane, die ijverig zaten mee te knikken.

'Hm,' zei ze toen. 'Je hebt vakantie, jongedame, daar bof je mee. En jullie zien er inderdaad niet vrolijk uit, dat geef ik toe. Zijn jullie ouders echt zomaar weggegaan?'

'Ja,' zei Bernie. 'M'n vader heeft heel veel verdiend door al de mensen die naar mij kwamen kijken.'

'O ja!' zei mevrouw Dorestijn. 'Ik heb je op tv gezien. Het was wel vreemd allemaal. Vooral dat de mensen moesten betalen. Het leek alsof je vader een circus was begonnen.'

'En hij was de aap,' zei Natasha. 'Maar wel een leuk aapje.'

'Rustig aan, dametje,' zei mevrouw Dorestijn scherp. 'Jij gaat maar eens even je ouders bellen. Die vragen zich ongetwijfeld af waar jij vannacht was. Intussen zal ik Bernie en Jane wijzen waar ze kunnen slapen.'

'Tof, mam!' zei Kimberly. 'Je bent echt wel lief!'

'Ja ja,' zei mevrouw Dorestijn. 'Het zal de eerste keer niet zijn. Komen jullie mee? Er is beneden een kamer die we nauwelijks gebruiken. Daar kun je ook mooi je aquarium neerzetten. Is dat een salamander of zo?'

'Het is een slak,' zei Bernie gapend. 'Hij heet Sjakie.'

Hij merkte opeens hoe moe hij was.

36

De kamer bleek vol te staan met huishoudelijke spullen, waartussen zich ook twee bedden bevonden. Bernie en Jane gingen liggen. Nauwelijks hadden ze hun hoofd neergelegd of ze vielen in een diepe slaap.

Pas aan het eind van de middag werd Bernie wakker. Het was halfdonker, er was maar één klein raam, waarvoor een gordijn hing. En iemand bevond zich op het uiteinde van zijn bed. Bernie schrok ervan; maar meteen daarna kreeg hij door dat het Kimberly was. Stil zat ze hem op te nemen. Ze glimlachte en deed haar wijsvinger tegen haar mond, en even gebaarde ze in de richting van Jane.

Bernie keek naar zijn zus, die nietsvermoedend snurkte. Toen hij zijn hoofd weer terugdraaide naar Kimberly, leek ze te zijn opgelost. Wat hem vagelijk deed denken aan iets wat hij al eerder zo had meegemaakt...

Bernie stond op en kleedde zich aan. Hij vroeg zich af hoe

Kimberly zo zonder enig gerucht uit de kamer had kunnen verdwijnen.

Over de smalle trap liep hij naar boven, naar de eetkamer, die ook de keuken was. Daar stond mevrouw Dorestijn achter het fornuis. Haar korte haar was gekamd en haar gezicht was opgemaakt, waardoor ze minder kreukelig leek dan die ochtend.

'Zo Bernie. Ben je uitgerust?'

Hij knikte. Mevrouw Dorestijn keek hem aan.

'Ik weet niet precies wat er gebeurd is vannacht,' zei ze, 'want Kimberly vertelt me nooit iets. Nooit de waarheid in ieder geval. Maar ik geloof niet dat het alleen maar leuk was, want zelfs mijn dochter was wat minder zorgeloos dan anders. En jullie waren blijkbaar uitgeput.'

'Ja,' zei Bernie.

'Je hoeft 't nu niet te vertellen,' zei mevrouw Dorestijn. 'Het komt wel. In ieder geval kunnen jullie hier blijven zo lang als nodig is.'

'Dat is... ontzettend fijn, mevrouw Dorestijn.'

'Dat rijmt,' zei mevrouw Dorestijn glimlachend. 'Heb jij honger? Mijn dochter is Chinees aan het halen.'

'Alleen?'

'Natuurlijk,' zei mevrouw Dorestijn. 'Het is vlakbij, hoor.'

De voordeur kraakte open en sloeg weer dicht. En daar kwam Kimberly binnen met twee plastic tassen.

'Loempia's!' zei ze vrolijk. 'Gevuld met kat en kraai!'

'En jij bent wakker,' zei ze tegen Bernie. 'Of lig je nog te slapen?'

En even keek ze hem aan met een ondoorgrondelijke blik.

'Let niet op mijn dochter,' zei mevrouw Dorestijn. 'Ze is altijd al een beetje wonderlijk geweest.'

'Maar wel lekker!' riep Kimberly.

Bernie lachte. Het beviel hem wel zoals de bewoners van dit huis met elkaar omgingen.

37

Bernie was in bad geweest en zijn kleren dreven in de wasmachine. Hij had een te grote kamerjas te leen gekregen en een paar oosterse, kleurige sloffen. Etend zaten ze nu voor de tv.

'Nou nou,' zei mevrouw Dorestijn, toen ze Bernie en Jane zag schrokken. 'Hoe lang hebben jullie al geen eten gehad?'

'Hoezo?' vroeg Bernie opkijkend.

'Je kunt ook kalmer eten,' zei mevrouw Dorestijn. 'Dan verteert het beter.'

'Maar zo zijn we het gewend,' zei Jane.

'Ja,' zei Bernie. 'Als je bij ons niet snel genoeg bent is alles weg voordat je bent begonnen.'

En hij en Jane doken weer neer op hun loempia's, terwijl Kimberly uitbundig zat te giechelen.

'Wanneer komen jullie ouders terug?' vroeg mevrouw Dorestijn.

Bernie veegde zijn mond af, de buit was binnen.

'Over drie weken, zeiden ze.'

'*Drie* weken? Ze gaan *drie* weken weg en laten jullie al die tijd alleen?'

Jane knikte.

'Ze hadden wel wat geld achtergelaten, maar dat is al op.'

Mevrouw Dorestijn keek hen met grote ogen aan.

'Nou,' mompelde ze. 'Sommige ouders zijn ook niet helemaal –'

'Wanneer ga jíj eens op vakantie, mam?' vroeg Kimberly.

'Als jij het huis uit bent,' zei mevrouw Dorestijn. 'Niet eerder.'

'Is er nog iets te eten?' vroeg Jane beleefd.

'Vla?' vroeg mevrouw Dorestijn.

'Graag,' zei Jane.

'En een beetje snel, mam,' zei Kimberly. 'Mijn vriendin heeft honger.'

'Kimberly gaat 't wel even voor je pakken, kind,' zei mevrouw Dorestijn.

Na de maaltijd trokken Bernie, Jane en Kimberly zich terug op de kamer van Kimberly. Die was onder 't dak; een bonte, volle ruimte met een hardroze tapijt, met stoelen die bekleed waren met pantervlekkenstof en met een grote spiegel waar een heel museum aan make-upspullen voor stond uitgestald. Aan een van de wanden hingen bossen gedroogde kruiden.

'Die pluk ik soms,' zei Kimberly. 'Gewoon, omdat ze lekker ruiken. Ze groeien in de wegbermen. Door sommige van die kruiden slaap ik vaster. En met andere kun je hoofdpijn weg krijgen.'

Bernie had zijn sloffen uitgeschopt. Met zijn linkervoet raapte hij een lippenstift van de vloer.

'Goed dat jullie niks tegen m'n moeder hebben gezegd over de heks,' zei Kimberly.

Bernie haalde zijn schouders op.

'Ze zou ons toch niet geloven.'

'Veel erger nog,' zei Kimberly. 'Ze zou ons naar dat wijf toe sturen met een boeketje bloemen, om te zeggen dat het ons speet.'

Bernie grijnsde.

'Ja, lach maar,' zei Kimberly. 'Mijn moeder is enorm sociaal. Ze is maatschappelijk werker. Ze gelooft in het uitpraten van dingen. Soms word ik er niet goed van. "Kimberly," zegt ze dan. "Wil je erover práten? Je moet je openstellen, Kimberly... Dat is een teken van volwassenheid." Dan kan ik 'r wel schieten.'

'Onze ouders praten nooit over die dingen,' zei Jane.

'Daar heb je mazzel mee,' zei Kimberly.

'Misschien,' zei Jane.

Ze streken neer rondom een lage, witgelakte tafel. Er lagen lippenstiften, viltstiften en vogelveren.

'Hoe kom je aan die veren?' vroeg Bernie.

'Net als met die bloemen,' zei Kimberly. 'Die vind ik. Soms neem ik ze mee. Omdat ze mooi zijn.'

Eén van de veren kwam met een rukje overeind, stond eventjes rechtop en viel toen weer neer.

'Wat... wat ís dit?' vroeg Jane.

'Grappig hè,' zei Kimberly. 'Het gebeurt wel vaker als ik naar dingen kijk. Als ik het opzettelijk probeer gebeurt er meestal niks. Maar als ik nergens aan denk, nou, dan beweegt er soms iets in m'n buurt.'

'Wauw,' zei Bernie.

'Mijn moeder is eraan gewend,' zei Kimberly. 'Soms klimt er een theezakje uit de pot omhoog. Of een pen rolt zomaar weg. We letten er al niet meer op.'

Ze pakte een roze lippenstift van tafel en stiftte haar lippen. Bernie keek toe en bedacht dat hij haar echt heel mooi vond. Opeens keek ze hem aan.

'Vrouwenzaken, jongetje.'

Ze lachte spottend en dat ging dwars door Bernie heen; hij kleurde tot in zijn hals.

'Hoe oud ben jij eigenlijk?' vroeg ze.

'Twaalf,' zei Bernie. 'Eh... bijna.'

Feilloos deed Kimberly de stem na van haar moeder: 'Wil je erover práten...?'

Ze stond op, pakte een cd en drukte die in een cd-speler. Een vrouwenstem begon te zingen in een vreemde taal. De muziek kronkelde door de ruimte, heel zacht, maar toch zo dat het Bernie kippenvel bezorgde. Die stem leek recht naar binnen te gaan in zijn hoofd.

'Arabische muziek,' zei Kimberly. 'Heeft mijn vader laten liggen. Net als die sloffen.'

'Waar is je vader dan?' vroeg Jane.

Kimberly haalde haar schouders op.

'Terug naar Arabië, denk ik. Daar kwam hij vandaan. Hij werkte op een schip. Hij heeft mij gemaakt en daarna is hij er weer vandoor gegaan.'

Een tokkelend snaarinstrument begeleidde de zacht jammerende vrouw. Het werd steeds warmer in de pluche, felgekleurde kamer.

'Jullie zweten,' zei Kimberly. 'Dat krijg je altijd met deze cd. Daar word je warm van.'

Bernie merkte dat hij zich voor het eerst sinds tijden kon ontspannen. Het was alsof hij even in een ander land was. Biesterkrimp begon achter het dakraam, tegelijkertijd was het ver weg.

38

Mevrouw Dorestijn vertrok de volgende ochtend al vroeg naar haar werk. Bernie, Jane en Kimberly zaten in de eetkamer toen er werd aangebeld.

'Dat is Natasha,' zei Kimberly.

'Hoezo?' vroeg Jane. 'Had je haar al gesproken?'

'Niet nodig,' zei Kimberly onverschillig. 'Ik weet gewoon altijd wie er aanbelt. Het gaat vanzelf.'

Bernie ging opendoen. Inderdaad, daar stond Natasha.

'Hé stuk.'

Bernie bloosde.

'Ben je alleen gekomen?'

Natasha knikte.

'Ik woon hier vlakbij. En er waren mensen genoeg op straat.'

Nu zaten ze met z'n vieren rond de eetkamertafel.

'We moeten iets vinden om die heks eh... kwijt te raken,' zei Bernie.

'Vroeger werden heksen op de brandstapel gezet,' zei Natasha.

'Een brandstapel,' zei Bernie. 'Best een goed idee.'

'We zouden erachter moeten komen waar ze haar inkopen doet,' zei Jane. 'En dan kunnen we bij de bakker haar brood vergiftigen of zo. Weet ik veel.'

'Tjee,' zei Kimberly. 'Jane trekt haar mond open!'

'Het is geen mens of een dier, toch?' zei Jane. 'Het is een soort van duivel...'

'Hoe zou het intussen met Tessa gaan?' vroeg Bernie.

'Je kunt 'r bellen,' zei Kimberly.

Hij kreeg Kimberly's telefoontje aangereikt.

'Ze komt hiernaartoe,' zei hij, even later. 'Maar ze is erg bang. Ik heb afgesproken dat we haar tegemoet gaan.'

'We?' vroeg Natasha.

Bernie knikte.

'Alle vier, ja. Tessa zorgt dat er altijd mensen in de buurt zijn terwijl ze over straat loopt. En zolang wij maar samen blijven kan er volgens mij niet veel gebeuren.'

Ze liepen naar buiten. Het was een kille, dicht bewolkte ochtend. Hier en daar gingen voorbijgangers, een vrouw met een kinderwagen, een man met een boodschappentas, twee vrouwen met aktetassen.

Ze waren nauwelijks een paar straten verder of Jane maakte een onverhoedse, zenuwachtige beweging.

'*Jezus*!' siste ze. 'Daar gaat ze!'

'Wie? Tessa?' vroeg Bernie.

Maar het was niet Tessa. Daar, in de verte, wandelde wel degelijk de heks. Traag maar zelfverzekerd stapte de Zwellengrebel langs een speeltuintje. Ze droeg een kleurige, fonkelende jas die geheel gemaakt leek te zijn van losse vlindervleugels.

Alsof ze het hadden afgesproken kropen ze alle vier in een van de heggen die de tuinen afscheidden van de straat. De heg zat gelukkig goed in de bladeren. Ze maakten zich klein. De Zwellengrebel verdween om een bocht.

'Wat nu?' vroeg Kimberly.

'We moeten haar volgen!' zei Bernie. 'We moeten zien wat ze uitspookt.'

'Mijn held!' fluisterde Natasha. 'Wij volgen jou.'

'Fijn,' fluisterde Bernie terug.

Hij stond op en rende voorovergebogen naar de speeltuin. Daar aangekomen zag hij hoe de rug van de Zwellengrebel zich verder van hen af bewoog, in de richting van een zebrapad. Er was nu verder niemand in de buurt, de straat leek uiterst rustig. De heks stak over en schoof opnieuw uit het zicht. Bernie rende door, vijf stappen verder kwamen de meisjes achter hem aan.

Achter een geparkeerde auto hield hij in. Nu zag hij haar lopen langs een vaart, even verderop, door een laantje dat omringd werd met lage bomen.

Toen stokte Bernies adem en hij voelde zijn hart bonken in zijn hoofd. Want aan de andere kant van dat slingerende laantje zag hij hoe Tessa langzaam, angstig rondturend, kwam aangewandeld.

Er liep ook nog een man met een hond. Dat was de reden, begreep Bernie, waarom ze daar durfde te zijn. Maar op dat ogenblik raapte de man een tak van de grond, en gooide die weg. De hond rende erachteraan. En de man beende haastig in dezelfde richting.

Tessa stapte nu wat haastiger voort over dat laantje. Het was een bloedstollend gezicht; ze wandelde recht in de armen van de heks. Die scheen nog niets in de gaten te hebben. Haar bontgekleurde gestalte gleed achter de takken van een enorme lijsterbes.

Bernie gilde.

'Tessa! Rennen! *Ren weg*!'

Ze keek op. Daarna ontdekte ze Bernie, en ze zwaaide. Op dat moment flitste een groen licht op vanachter de struik. Er klonk een knetterend geluid. En Tessa was ineens verdwenen.

Schreeuwend rende Bernie naar het laantje. Hij zag een wolk van donkere vlinders opstijgen vanuit de lijsterbes. Warrelend, als afzonderlijke stippen, losten de vlinders op in de bewolkte lucht.

Als eerste bereikte hij de plek des onheils. Op de grond, naast een rozenbottelstruik, zat een wit beestje. Het had wel iets van een konijn, maar het was kleiner en pluiziger. Het stond overeind op haar achterpoten en keek met zwarte, verbijsterde ogen de wereld in.

'Konijntje!' riep Bernie jammerend. 'Konijntje toch!'

Achter hem stond nu ook Kimberly.

'Oppassen, aapje,' zei ze hijgend. 'Dat wijf kan nog in de buurt zijn.'

Ze wees omhoog. Tussen de takken van een boom zat een raaf. Die loerde stilletjes omlaag.

39

Een paar minuten later zaten ze zwetend in de eetkamer van mevrouw Dorestijn. Bernie had het konijntje op de tafel gezet.

'Konijntje... Tessa, bedoel ik. Hoe voel je je?'

Het beestje trok haar schouders op.

'Ze begrijpt je in ieder geval wel,' zei Kimberly. 'Ze reageert beter dan die slome Sjakie.'

'Kun je praten?' vroeg Bernie.

Het konijntje schudde met haar kopje. Ze piepte kermend. Natasha begon te grinniken.

'Nou!' zei Jane. 'Dit is toch èrg!'

'Ik kan 't niet helpen,' zei Natasha. 'Het is ook erg. Maar ergens ook best *grappig*.'

Giftig keek het konijntje in haar richting.

'Misschien moeten we haar een wortel geven,' opperde Kimberly.

'Helemaal niet leuk!' zei Bernie boos. 'Dat rotwijf... Jullie hebben het nu zelf gezien! En straks... straks zijn *jullie* misschien ook aan de beurt!'

'Konijnepijntje toch,' zei Natasha.

Ze streelde het konijnennekje.

'Jij bent wel mooi als je kwaad bent, jochie,' zei ze intussen tegen Bernie. 'Au!'

Het konijntje had hard in een vinger gebeten.

'Tessa! Dat mág toch niet!' zei Jane.

'Ik bloed,' zei Natasha.

Inderdaad, een paar blauwe druppels vielen op het witte tafelblad. Kimberly pakte een keukenrol van het aanrecht.

'Jouw bloed is blauw,' zei Bernie verbaasd.

Natasha knikte.

'Altijd geweest. Ik zal wel van adel zijn of zo.'

Ze depte het wondje met een stuk papier.

'Moet je kijken. Het lijkt wel een inktlap.'

'Kom hier met je hand,' zei Kimberly.

Ze stak de bloedende vinger van Natasha in haar mond.

'Speeksel stopt het bloeden,' zei ze, Bernie aankijkend.

Bernie had even de gewaarwording dat hij keek naar een vrouwelijke vampier die bezig was met het leegzuigen van haar prooi. Ook Natasha keek hem aan. Bernie voelde zich verlegen worden.

'Wat moeten we nou doen?' vroeg hij hoofdschuddend.

Natasha bestudeerde haar vinger, die er weer gaaf uitzag. Het wondje was blijkbaar alweer dichtgegaan.

'Ik heb effe helemaal geen zin meer om me ermee bezig te houden,' zei ze.

Ze wierp een vuile blik naar het konijntje.

'Nee schat,' zei Kimberly. 'Ze heeft ergens wel gelijk. Als dat beest venijnig wordt, nou, dan hoeft 't van mij ook niet meer...'

Ze zette een radio aan. Een top 40-hit schalde door de kamer.

Bernie zuchtte. Natasha en Kimberly liepen naar boven. Jane bladerde door een tijdschrift. Bernie kreeg zin om te huilen.

'Gut,' zei mevrouw Dorestijn, wat later die middag. 'Wat een raar beestje hebben jullie daar. Het lijkt op een konijn, maar is toch anders... En wat zitten jullie hier lamlendig met z'n allen. Jullie hebben vakantie! Ga toch zwemmen of zoiets!'

Kimberly had de muziek, toen ze haar moeder op de trap hoorde, gauw zachter gezet. Geen van allen voelden ze behoefte om iets terug te zeggen.

'Het is een soort van rat,' zei Natasha loom. 'Je moet ermee uitkijken. Het kan opeens d'r tandjes in je vingers zetten.'

'Jakkes,' zei mevrouw Dorestijn. 'Hoe komen jullie daaraan?'

'Zij... Ik bedoel, hij. Hij is van mij,' zei Bernie. 'Een huisdier.'

'O,' zei mevrouw Dorestijn. 'Jij hebt van alles, hè. Heb je er wel een hok voor? Eerlijk gezegd ben ik niet zo erg op dit soort beesten gesteld. Voordat je het weet poepen ze op de vloerbedekking. En ze kruipen zo muizerig rond. Straks trapt er nog iemand op.'

Bernie tilde het konijntje, dat verontwaardigd in de richting van mevrouw Dorestijn keek, op en droeg het de kamer uit.

'Het is toch net alsof zo'n beest je aankijkt,' hoorde hij mevrouw Dorestijn nog zeggen.

Op de vloer van de benedenkamer zette Bernie haar neer.

'Het spijt me, Tessa... Ik kon het 'r niet uitleggen. Volwassenen... Die geloven nou eenmaal alleen maar wat ze zien. En dat is meestal niet erg veel. Heb jij toevallig honger?'

Ze knikte.

'Ik zal zo wat voor je halen. En we moeten misschien je ouders waarschuwen.'

Het konijntje leek opeens neerslachtig te worden. Ze sloeg haar pootjes tegen haar ogen en piepte weer.

'Kalm maar, kalm maar,' suste Bernie. Hij streek over haar vacht. 'Tessa... Ik los het heus wel op. Echt waar! We komen er wel uit. Ik verander ook steeds verder in een aap. Wil je het zien?'

Het konijntje schudde haar kopje.

'Nou ja... Mijn benen worden steeds dichter behaard. Het kruipt langzaam naar boven. En ik loop anders dan vroeger... We *moeten* dus iets vinden! Als je betoverd wordt, dan moet je ook weer teruggetoverd kunnen worden. Daar ben ik van overtuigd. We komen er wel achter. En... En ik zal je ouders bellen.'

Bernie liep naar boven.

'Zeg,' zei mevrouw Dorestijn. 'Dat jullie hier logeren met jullie salamander, dat vind ik prima. Maar zo'n rat, dat is me net te veel. Dus die moet echt beneden blijven. Afgesproken? En nu heb je zeker voedsel nodig. Wat eet zo'n beest? Een korst brood? Wat graankorrels?'

'Een witte boterham met aardbeienjam,' antwoordde Bernie.

40

Ze hadden gegeten, wat ze iets van hun energie had teruggegeven. Natasha was naar huis gerend. Nu zaten Kimberly, Jane en Bernie opnieuw op de zolderkamer. Kimberly had de cd met Arabische muziek opgezet.

'We moeten haar maar gaan bespieden, denk ik,' zei Bernie, die het alweer warm begon te krijgen. 'Volgens mij is dat het enige wat we kunnen doen. Om zo haar zwakheden te leren kennen, bedoel ik. Ze is namelijk ooit zelf veranderd in een spin. En daarna had ze zichzelf binnen vijf minuten teruggetoverd.'

'O ja?' vroeg Kimberly. 'Heb jij dat ge*zien*?!'

'Gedeeltelijk. Ze probeerde mij te betoveren. Maar ik kon net op tijd een spiegel voor me houden. En in die spiegel zag ze toen zichzelf. Daardoor is die vuurbal teruggekaatst en heeft ze toen zichzelf betoverd, denk ik. Alleen mijn voeten staken eronderuit. En daarom –'

'Daarom ben jij beroemd geworden,' zei Kimberly. 'Wel gaaf dat je haar echt in actie hebt gezien. Van dichtbij, bedoel ik. Vanmorgen was het te ver weg om er wijzer van te worden.'

'Hoe wil jij de heks dan gaan bespieden?' vroeg Jane.

'Joehoe!' werd er van beneden geroepen.

'M'n moeder is eenzaam, geloof ik,' zei Kimberly.

Ze liep naar de deur, opende die en riep: 'Wat?!'

'Jeremy is op tv!' riep mevrouw Dorestijn. 'Dat knappe joch van Idols! Die vond jij toch leuk?'

'Niet meer!' riep Kimberly terug. 'Ik ben nu op Bernie!'

Ze sloot de deur weer.

'Moeders,' zei ze geërgerd. 'Ze moet maar eens leren om zichzelf te vermaken.'

'Oké,' zei Bernie. 'Ik denk dus dat we het huis van de Zwellengrebel in de gaten moeten houden. En als ze dan –'

'Joehoe!' werd er weer geroepen.

'Djiezus!' zei Kimberly.

Ze rukte de deur open en schreeuwde: 'Wat nou weer?!'

'Willen jullie chips?'

'Wij willen rust!' riep Kimberly terug.

'Wat doen jullie daar?!' riep mevrouw Dorestijn.

'We liggen met z'n drieën te zoenen!' riep Kimberly.

Ze sloot de deur met een klap.

'Oké,' zei Bernie. 'We gaan dus morgen –'

Nu werd er geklopt. Even keek Kimberly razend naar de deur. Maar het geklop kwam niet van de deur; maar van het dakraam.

'Shit!' siste Bernie.

Met één apensprong sprong hij achter zijn stoel. Jane liet zich vallen op de vloer. Met uitpuilende ogen lag ze daar te kijken. Alleen Kimberly was blijven zitten.

'Het is een vogel,' zei ze. 'Diezelfde vogel van vanmorgen.'

En dat was waar. Achter het raam, in de dakgoot, zat de raaf.

Het duurde even voordat zijn angst ging liggen, maar toen zei Bernie: 'Dit is niet de heks.'

Jane was inmiddels onder Kimberly's bed gekropen. Maar Kimberly keek geboeid naar de grote, zwart glimmende vogel achter het glas. De vogel staarde met glanzende kraalogen terug.

'Volgens mij heb je gelijk,' zei ze.

Bernie knikte.

'Ik heb 'm al eerder gezien.'

Kimberly stond op en liep naar het raam.

'Niet openmaken!' klonk het van onder het bed.

'Stel je niet aan, Jane,' zei Kimberly.

Ze deed het raam open. De raaf gluurde naar binnen. Toen strekte hij zijn vleugels uit en zweefde naar het tafeltje waarop de stiften lagen. Handig pakte de vogel een groene stift, plukte het dopje eraf en schreef op de tafel: *Hoi. Ik ben Leo.*

'Dat dácht ik al,' zei Bernie zacht. 'Ben jij ook betoverd?'

Ja, schreef de raaf.

'Door de Zwellengrebel?'

Leo schudde met zijn veren toen hij die naam hoorde; daarna wees hij opnieuw naar het woord 'ja'.

Kimberly sloot het raam en pakte een blocnote. Die legde ze naast de raaf.

'Hoe lang ben je al betoverd?' vroeg Bernie.

Al schrijvende legde Leo uit dat hij ooit, in het dorpje Udel, op het nippertje was ontsnapt aan de heks, maar helaas pas nadat hij was betoverd. Nu kon hij de mensen nog wel verstaan, maar spreken ging niet meer; zijn tong en keel waren anders, het waren een vogeltong en een vogelkeel geworden.

'Waarom ben je veranderd in een raaf?' vroeg Bernie.

Ik heb dingen gepikt vroeger, schreef Leo. *Ik werd raaf genoemd. Daarom, denk ik. Waarom ben jij een halve aap?*

'Ik werd ook zo genoemd,' zei Bernie.

Logisch, schreef Leo. *Maar wat heb je gedaan?*

'Helemaal niks, eigenlijk,' zei Bernie. 'Een paar piepkleine grapjes. Geintjes. Laten we het er niet over hebben. Weet jij niet toevallig of er een middel bestaat om ons terug te toveren?'

De raaf wist het niet. Hij had enkele weken het heksenhuis bespioneerd toen ze nog in Udel woonde. Daarna was het huis opeens verlaten geweest. Hij had rondgevlogen door de streek.

En zo had hij uiteindelijk Bernie ontdekt, terwijl die door het eikenbosje klom. De raaf had hem gegroet in de taal van de dieren. Maar Bernie had niks teruggezegd.

'Dat klopt,' zei Bernie. 'Ik kan de dierentaal niet. Want ik ben nog half een mens.'

De raaf knikte. Hij had ten slotte de Zwellengrebel zelf door Biesterkrimp zien lopen. Hij was nu van plan om haar gangen te blijven nagaan, ook al had hij dan nog nooit gezien dat ze iemand van een dier weer terugveranderde in een mens.

'Maar ik wel,' zei Bernie.

En hij vertelde opnieuw hoe de heks zelf een enorme spin was geweest.

Dit maakte Leo nogal opgewonden. Krassend sprong hij een meter omhoog en het leek alsof hij 'Wauw!' riep.

'Morgen gaan we ernaartoe,' zei Bernie. 'Met z'n allen. Want ik heb eindelijk een goed idee! We nemen Tessa mee, die hebben we daarbij nodig. Want volgens mij heeft dat wijf een tegengif of een toverboek... Iets dergelijks! En dat gaan we vinden.'

Kimberly keek hem aan.

'Jij bent echt gaaf, weet je dat?' zei ze.

Ik wil nu weer naar buiten, schreef Leo. *Ik slaap liever in een boom dan in een kamer.*

Op dat ogenblik werd er op de kamerdeur geklopt.

'Wat *nou* weer?!' riep Kimberly.

Mevrouw Dorestijn marcheerde met een verhit gezicht naar binnen.

'Nu wil ik weten wat jullie hier uitvoeren...' begon ze.

Toen gingen haar wenkbrauwen omhoog.

'Wat... Hoe... komt die vogel hier?' vroeg ze hakkelend.

'Hij stond juist op het punt om te vertrekken,' zei Kimberly.

Ze opende het raam.

'Tot morgenochtend,' zei ze.

De raaf kraste kort, sprong door het venster en wiekte weg door het donker.

'Is-ie verdwenen?' klonk het van onder het bed.

41

Mevrouw Dorestijn riep de volgende ochtend dat ze haar huis niet wenste te veranderen in 'een dierentuin', waar 'allerlei ratten en salamanders en kraaien maar in en uit konden lopen'. En of haar dochter daar even goed om wilde denken!

'Je moet je ópenstellen, mam!' riep Kimberly. 'Dieren zijn ook mensen!'

Daarop hield mevrouw Dorestijn nog een hele preek, dat ze altijd geduld had gehad met haar dochter, dat ze wel begreep dat die 'een vader miste', dat ze daarom 'zo losgeslagen' was, maar dat ze 'haar toekomst vergooide'.

'Wááát doe ik?' gilde Kimberly.

Mevrouw Dorestijn pakte haar tas en liep de trap af.

'Vanavond praten we hier nog wel verder over!' riep ze bij de voordeur.

'Als ik mijn toekomst dan niet al vergooid heb!' krijste Kimberly terug.

Met een klap smeet mevrouw Dorestijn de deur achter zich dicht.

Jane, Bernie en het konijntje zaten in de logeerkamer te luisteren.

'Het is goed dat we hier vertrekken,' zei Bernie.
Jane keek stilletjes voor zich uit.

Nu mevrouw Dorestijn weg was, kon Bernie eindelijk de ouders van Tessa bellen. Hij kreeg mevrouw Koperdraad aan de lijn.

'Hallo...?'

Ze klonk als iemand die een nacht niet had geslapen.

Bernie kneep zijn neus dicht en zei: 'U hoeft zich geen zorgen te maken. Konijntje is veilig.'

'Wát? Wie ís daar?!' riep mevrouw Koperdraad.

'Tessa, bedoel ik,' zei Bernie. 'Ze is veilig. Echt waar. Binnenkort komt ze weer thuis. Dit is een vriend.'

'Waar ís ze?! Wie bent u?!'

Bernie begon te zweten.

'Alles komt goed,' zei hij nogmaals.

Snel verbrak hij de verbinding. Kimberly was naast hem komen staan. De raaf zat op haar schouder.

'Leo zat weer voor mijn raam,' zei ze.

'Oké!' zei Bernie. 'Leo? Kun jij gaan kijken bij het huis van de heks? En als ze boodschappen gaat doen kom je terug. Dan kom je zo snel mogelijk terug. Afgesproken?'

Leo kraste iets. Kimberly liep met hem naar het venster. Ze gaf de vogel een kus, wat Bernie, vreemd genoeg, even jaloers maakte.

'Succes,' zei ze.

De raaf nam een sprongetje en vloog flapperend weg.

Toen Bernie in de logeerkamer het konijntje oppakte werd er aangebeld. Met het witte diertje op zijn arm deed hij open. Het was Natasha.

'Hoi stuk.'

'Grrr,' zei het konijntje.

'Kom,' zei Bernie. 'Overleg in de eetkamer.'

'Jij bent de baas,' zei Natasha.

'Kijk,' zei Bernie, nadat ze waren gaan zitten. 'Dit is mijn aanvalsplan: we moeten erachter komen wat we nodig hebben uit het heksenhuis. Nou heb ik bedacht dat Tessa op onderzoek kan gaan, als de heks haar boodschappen doet. Want Tessa is klein genoeg om niet te worden opgemerkt.'

Onmiddellijk begon het konijntje, dat snuffelend over de vloerbedekking kroop, te piepen.

'Het spijt me, Tessa. Het *moet* gewoon. Jij kunt vast wel ergens een ingang vinden. Een muizenhol of een ventilatiegat. Iets waardoor je naar binnen kunt kruipen. En dan kun je ons komen vertellen wat je hebt gezien.'

'Veel zeggen doet ze anders niet,' zei Natasha.

'Grrr,' deed het konijntje opnieuw.

'Die raaf kan toch schrijven?' zei Bernie. 'Dan kan Tessa dat ook wel.'

Alsof hij wist dat er over hem werd gepraat verscheen de raaf als een donkere schim op de vensterbank. Hij kraste hard.

'Papier! Pen!' gebood Bernie.

Kimberly trok ergens vandaan een papier en een stift tevoorschijn. De raaf kwam op tafel zitten. Hij schreef: *De heks is het dorp in gelopen.*

'Oké!' zei Bernie. 'Dit is het moment!'

Ze renden naar beneden.

Bernie pakte het aquarium, en ze holden zo hard mogelijk terug naar de Biesterkrimpse Achterweg.

42

Daar lag de woning van de heks, onder een lucht van zwarte regenwolken. Het hoge oude huis met de bogen leek opnieuw te ademen, alsof het een groot, boosaardig wezen was dat hen opnam door de smalle raampjes. Het konijntje kroop wat dieper weg in Bernies jas.

'Konijntje...' zei Bernie. 'Alles hangt nu af van jou. Ik zet je zo naast een van de muren. Je hoeft niet bang te zijn. De heks zal je niet eens zien, mocht ze terugkomen.'

Het konijntje piepte hartverscheurend.

'Kom op nou!' zei Kimberly. 'Opschieten!'

Bernie aarzelde.

'Misschien was het een slecht idee,' zei hij zacht.

'O, mannen!' zei Kimberly.

Ze griste Tessa naar zich toe en liep met grote stappen over het tuinpad. Bernie zag hoe ze het konijntje neerzette bij de voordeur. Toen kwam ze terugrennen.

De raaf vloog omhoog, naar een van de bomen die aan de straat stonden. Daar ging hij op een tak zitten uitkijken. Haastig liep het groepje nu naar het huis van de familie King.

De voordeur stond open. Hiervan schrokken ze even, totdat Jane zei: 'Die hebben we, geloof ik, zelf open laten staan...'

Binnen leek er niets veranderd. Ze liepen door naar Bernies kamer. Van daaruit konden ze het huis zowel als de straat overzien.

Op Bernies bed gingen ze zitten. Roerloos lag alles in het grauwe ochtendlicht. Soms liep iemand langs de voortuin. Daar had je meneer Van der Wurf, met zijn wandelstok. Daar gingen twee kletsende vrouwen. En een jongetje, dat ze allemaal kenden van school.

Gespannen keken ze hem na. Een enkele keer hadden ze hem 'mug' genoemd. Nu hoopten ze erg dat hij de heks niet tegen het lijf zou lopen. Muggen zijn veel moeilijker terug te vinden dan konijntjes.

'Ik heb me niet eens opgemaakt, vanmorgen,' zei Kimberly tegen Jane. 'Heb jij niet wat lippenstift?'

'Nee,' zei Jane.

'Ik heb wat bij me,' zei Natasha.

'Jezus!' riep Bernie. 'Moet dat nu?!'

Natasha giechelde.

'Aapje toch... Je begrijpt niks van vrouwen. Maar ik zal het je leren. Als je wat groter bent.'

'Stomme grieten,' mompelde Bernie kortaangebonden.

Weer gingen enkele minuten voorbij.

'Zou Leo een leuke jongen zijn geweest?' vroeg Kimberly.

'Volgens mij wel,' zei Natasha. 'Met prachtig halflang, ravenzwart haar. En hij jatte dingen. Het was vast een stuk.'

'Als we hem teruggetoverd hebben ga ik met hem uit,' zei Kimberly.

'Dan gaan we met z'n vieren,' zei Natasha.

'Weet jij niet ook een leuke jongen?' vroeg Kimberly aan Jane. 'Dan gaan we met z'n zessen.'

'Misschien is Sjakie wat voor Jane,' zei Natasha treiterig.

Jane haalde haar schouders op.

'Jongens vinden mij niet leuk,' zei ze sip.

'Stel je niet aan!' zei Natasha. 'Alleen omdat je mollig bent? Daar moet je je niks van aantrekken! Als je jezelf leuk vindt, nou, dan vinden jongens je ook leuk. Jongens zijn namelijk te stom om te weten wat ze vinden. Dus dat moet jij gewoon voor ze beslissen.'

Jane keek haar hulpeloos aan.

'Waar het bij jou om gaat, schat,' ging Natasha verder, 'is dat jij alles véél te serieus –'

'Kunnen jullie nu éventjes je klep houden?' siste Bernie. 'Beséffen jullie wat we aan het *doen* zijn?!'

'Een echte man,' zei Natasha glimlachend. 'Jij lijkt een beetje op mijn vader. Die kan ook zulke dingen zeggen. Maar eigenlijk is hij heel zoet.'

'Wat een schatje, hè?' zei Kimberly. 'Lief apenkopje.'

Bernie zuchtte. Er verscheen een blauwe stationcar. Hij stopte voor het huis van de familie King. De raaf begon te krassen.

Uit de auto stapte een echtpaar met twee jongetjes. De man droeg een zonnebril en er bungelde een fototoestel voor zijn dikke buik. Kwebbelend liepen ze over het tuinpad naar de voordeur.

'Goeie genade!' vloekte Bernie.

Hij rende naar beneden en trok de voordeur open.

'Ja?!'

'Dat is 'm,' zei de man. 'Het apenjoch. Hé apie, ga je voor ons klimmen?'

'Net als op tv!' riep het kleinste jongetje.

'Ik moet 't anders nog zien,' zei het andere jongetje nors. 'Zo goed is-ie volgens mij niet. Echt niet.'

'We zijn gesloten!' blafte Bernie.

'Fotootje maken,' zei de man. 'Effe lachen!'

Ziedend keek Bernie toe, terwijl de camera flitste in zijn gezicht. Meteen daarna ontdekte hij iets kleins en wits, scharrelend in de struiken naast het pad.

'Opgedonderd!' blafte Bernie. 'Wegwezen!'

'Nou nou,' zei de vrouw. 'We zijn helemaal uit Apeldoorn

komen rijden! En het is nog rotweer ook!'

'Ach Joke, dat heb je altijd met dat soort lefgozertjes,' zei de man. 'Jeremy was ook zo vervelend laatst.'

Beledigd liep de familie terug in de richting van hun auto.

Toen ze ingestapt waren, riep Bernie: 'Konijntje! Ik ben hier!'

Met springende huppelpasjes kwam ze tevoorschijn van achter een bos brandnetels. Bernie pakte haar op, hij merkte dat ze trilde.

Leo kwam omlaagzeilen vanuit zijn boom. Hij streek neer op Bernies schouder. En zo liep Bernie naar binnen.

Hij legde pen en papier klaar op de vloer in de woonkamer. Hij zette het konijntje ernaast.

'Kom op, Tessa! Is 't gelukt?'

Ze omklemde de pen met haar voorpootjes, ze probeerde te schrijven; maar ze kreeg enkel een paar slordige krassen op het papier.

Nu fladderde de raaf omlaag. Hij pakte de pen van haar over en schreef: *Het lukt haar niet om te schrijven. Maar ik kan haar verstaan.*

Daarop begon het konijntje aan een lange, piepende uitleg. De raaf luisterde en noteerde.

Ja, ze was welzeker in het huis geweest! Ze had een gat gevonden in een van de muren; zo was ze terechtgekomen in een gang. Daar had ze een kapstok gezien waaraan een rij bontjassen hing. Er had een paraplubak gestaan met een paraplu en een jachtgeweer.

Toen was ze via een rattenhol omhoog geklommen. Ze was uitgekomen op de zolder. Daar hadden flessen gestaan waar kringelende geesten in zaten opgesloten. Bovendien stond er een bezem voor een schuifraam. Naast die bezem stonden een gereedschapskist en een fles motorolie.

Over een brede trap was ze weer omlaag geslopen en had ze het midden van het huis verkend. Daar was het groenig verlicht geweest, en het had er propvol gestaan met spullen, opgeborgen in open kasten.

'Juist,' zei Bernie. 'Daar ben ik ook geweest.'

Tessa piepte wat tegen Leo. En Leo schreef: *Daar heeft ze een toverboek gezien!*

Bernie maakte een luchtsprong; dit was precies wat hij had gehoopt!

'Kon je het niet meenemen?' vroeg hij opgewonden.

Veel te zwaar, schreef Leo na enig overleg.

'Dat is jammer...' mompelde Bernie. Hij dacht na.

'Ik ben blij dat ons konijntje klaar is met vertellen,' zei Natasha gemelijk. 'Dat geluid is behoorlijk irritant. Het lijkt wel een autoalarm.'

'Hou jij maar op met denken, held,' zei Kimberly. 'Jij moet 't gaan halen.'

'Ik?' zei Bernie zacht.

'Natúúrlijk!' zei Natasha. 'Jij bent hier de man. Weet je nog?'

'O ja,' zei Bernie.

43

Het was afschuwelijk, maar het moest: voor de tweede keer moest Bernie binnendringen in het heksenhuis.

Leo maakte eerst een verkenningsvlucht over het dorp. Binnen tien minuten was hij terug. De heks stond op het dorpsplein te praten met een paar vrouwen. Dit was het moment. Nu of nooit!

Bernie had een zwaar gevoel in zijn buik, alsof hij stenen had gegeten. Zijn keel was droog.

'Nou,' zei hij met een rare, hoge stem. 'Daar gaat-ie dan...'

'Je bent fantastisch,' zei Kimberly.

'Je bent het gaafste jongetje dat ik ken,' zei Natasha.

Ze zoende hem op zijn mond, maar Bernie was veel te gestresst om dat leuk te vinden.

Leo vloog weer naar de bomen aan de straatkant. Als de heks zou verschijnen zou hij alles bij elkaar krijsen. Bernie kroop intussen in de achtertuin onder de doornheg door. Behoedzaam liep hij langs de krater die was achtergebleven na de ontploffing. Toen klom hij soepel langs de gevel van het heksenhuis omhoog. Voor een geoefend klimmer als hij nu was, was het doodmakkelijk; in een paar seconden zat hij op het balkon. Met aapachtige handigheid wist hij het raampje dat weer op een kier stond verder open te wrikken.

En weer was hij in het domein van de heks. Hij was misselijk, hij moest zijn uiterste best doen om de opkomende paniek te onderdrukken. Maar toen zijn ogen aan het halfduister waren gewend zag hij hoe Tessa klein en wit en pluizig op hem zat te wachten op de vloer.

'Konijntje...' zei hij ontroerd. 'Wat dapper...'

Haastig trippelde ze voor hem uit. Omzichtig opende hij de deur naar het midden van het huis. Hij had er al een glimp van opgevangen, maar nu hij alles zoveel beter kon bekijken viel zijn mond open. Het was een uitgestrekte open ruimte, zachtgroen belicht; dat licht leek nergens vandaan te komen. En inderdaad, het stond er vol met spullen. Tegen een van de wanden was een open haard waarin een berg koude as lag. Maar langs alle andere wanden waren hoge rekken die afgeladen waren met de meest exotische voorwerpen. Er dreven slappe, witte reptielen in potten troebele alcohol en er stonden blauwe flessen, gevuld met borrelende vloeistof. Er lagen paardenbenen, met hoef en al, er waren houten beelden waarin spelden waren gestoken, vergeelde landkaarten, wazige kristallen, roestige apparaten en bussen waarop aanduidingen stonden in spijkerschrift. Er hingen roze vellen en bruine wortels die leken op gedroogde aardmannetjes. Het rook er naar verrotting en zwavel.

Verdwaasd schuifelde Bernie langs de hekserige uitstalling. En daar, onderaan, wees Tessa naar een rij boeken. Bernie trok de complete rij van de plank, zodat de boeken ploffend op de vloer vielen.

Even was hij in de war. Hij had één toverboek verwacht, niet een hele verzameling. Nu moest hij als de bliksem uitzoeken welk hij moest hebben, want allemaal meenemen ging niet; het waren zware, in leer gebonden delen.

Hij hurkte neer en sloeg er eentje open. Het heette *Duizend vrolijke recepten voor de bereiding van mensenvlees.* Er stonden plaatjes in van hoofden die werden opgediend met een appel in de mond, van gekookte ogen in gelei en van gefrituurde oren op pruimensap. Er stonden recepten in voor de bereiding van smeuïge tenenkaas en van vingers met mayonaise. Bernie klapte het rillend dicht.

Het tweede boek heette *Het motoronderhoud van een bezem met straalaandrijving*. Het ging over het schoonhouden van een vliegende bezem en de verkeersregels daarvoor. Er was een beschrijving van hoe je een bezem sneller kon laten vliegen, en hoe je hem in z'n achteruit kon zetten en wie er voorrang had als je in de lucht een vliegend tapijt tegenkwam.

Het derde boek was naamloos. Toen Bernie het opensloeg keek hij in een diepe, rode trechter van wervelend licht. In de verte kwam iets aanvliegen. Een schimmig, mot-achtig wezen uit een andere tijd keek hem aan. Het had wel tien boosaardige kraalogen en een vissenstaart. Blijkbaar had het de opening gezien waardoor Bernie naar binnen staarde, want het kwam met een enorme vaart dichterbij. Maar voordat het gedrocht naar buiten kon schieten klapte Bernie het boek dicht.

Het vierde boek heette *De avonturen van Bob de detective-gorilla.*

Het vijfde boek heette *Vijfentwintig gezellige sprookjes waarin heksen het winnen.*

En het zesde boek heette *Algemene inleiding in de magie.*

Gejaagd bladerde Bernie erdoorheen en hij begreep dat dít was wat hij zocht.

'Eens kijken...' mompelde Bernie. 'Aha... De bestrijding der kinderen zoals die door zwarte magiërs wordt beoefend... Het verspreiden van kinderziekten ende andere kwalen... Computerspelletjes waar je blind ende doof van wordt... De beste manieren om tanden ende kiezen te laten rotten...'

Tessa piepte.

'Je hebt gelijk,' mompelde Bernie. 'We moeten hier weg.'

Tessa verdween haastig in een gat in de muur. Bernie propte het boek onder de rand van zijn broek, zodat het daar vastzat. Zijn T-shirt hing eroverheen, het zou wel blijven zitten terwijl hij weer omlaag klom. Hij kwam overeind.

Maar... wáár was de uitgang...? Achter hem? Voor hem...?

Terwijl hij had zitten bladeren leek de ruimte zich te hebben veranderd... Al die spullen, ja, zelfs de muren, leken onmerkbaar te zijn verschoven...

Op een holletje liep hij, in wat hij dacht dat de juiste richting was. Maar nu kwam hij uit bij een wand die hij nog niet eerder had gezien. Verrast bleef hij staan. Aan dit stuk muur hingen vele koppen, bevestigd op plankjes.

Er hing een eendenkop; een baby-olifantjeskop; een varkenskop; het hoofd van een ezel; het kleine kopje van een pad. Er was een kattenkop en een uilenhoofd en zelfs was er een plankje met een platgeslagen vlieg. Onder al die dieren zaten bordjes met een naam en een datum.

Bovendien hingen er enkele koppen van beesten die Bernie niet kende. Zo was er een zonderlinge, droevige kop met hangende oren. *Druiloor, 6 maart 2001*, las Bernie.

Er was een klein kopje dat eruitzag als een afgebroken potlood. Daaronder stond: *Mispunt, 14 juni 2003*.

Maar het vreemdste was nog wel een stuk van een schoen met twee donkere, glazen ogen. *Halvezool, 3 februari 2006*, meldde het bordje.

Toen kwam hij bij het uiteinde van die lugubere rijen stille, starende koppen en daar was een plankje leeg. Ook daaronder was een bordje bevestigd.

Bernie boog zich voorover en las hardop: ‘Kleine Aap...’

Toen hij dít gelezen had werd hij bekropen door zo’n diepe, zwarte angst dat hij kokhalsde.

‘Mooie verzameling, hè,’ zei een kalme stem.

Vlak achter hem, in een deuropening, stond de Zwellengrebel.

44

Als aan de grond genageld bleef Bernie staan. De Zwellengrebel sloot rustig de deur.

'Ja hoor,' zei ze zacht. 'Een prachtige verzameling. Maar de kleine aap ontbreekt er nog aan.'

'Wat... Wat –' mummelde Bernie.

'Wat dit betekent? Dit betekent dat *jij* daar eindelijk komt te hangen, onderkruipseltje.'

'Ik wist het,' fluisterde Bernie. 'Ik wist dat het zoiets was...'

De heks lachte kakelend.

'Ja,' zei ze. 'Je bent wat minder stom dan de rest van het dorp. Ik voelde al lang geleden dat je iets vermoedde. Erg vervelend, want dat is me nog nooit eerder gebeurd. Ik heb er zelfs voorzitster van het comité "Help een Weeskind" voor moeten worden. Help een Weeskind! Je lacht je toch rot!'

De heks ontdeed zich van haar zoveelste bontjas. De jas zweefde weg en hing zichzelf aan een vrije haak aan de muur. De heks deed een sierlijke pas vooruit. Bernie deed een stap naar achteren.

'Weet je,' zei ze, 'in bijna elk dorp zijn er wel een paar kinderen zoals jij. Kinderen die krassen maken op auto's, of tuinkabouters jatten, of er gewoon niet bij horen. Kinderen zoals jij zijn als een vetvlek op een keurig pak. Als vliegen in de limonade spartelen kleine krengetjes zoals jij rond! Ik ruik jullie al op afstand. En ik leg m'n oren te luisteren en dan hoor ik: "Die kleine aap". Of "Die aap van een jongen". Of "Die snotaap". Dát hoor ik! Een aap, denk ik dan. Prachtig! *Die* heb ik nog niet!'

'Maar... maar –'

'Je begrijpt me uitstekend, Bernie. Maar ik zal het je graag uitleggen. Kijk, die daar. Dat meisje werd "kattenkop" genoemd. Iedereen zei telkens: "Wat is ze toch kattig. Het is een echte kattenkop!" En daarom wás ze het ook. De mensen wensten haar gewoon toe dat ze een kattenkop was! En *toen* kwam ik en ik heb ze met plezier geholpen... Ach ja, voor de bestrijding van jouw soort is niets me te veel... Ik heb echt m'n best voor je gedaan, jongetje. Soms is dat nodig. Maar niet altijd gelukkig. Zie je die daar? Ook een heel mooi stuk van m'n verzameling. Dat jongetje was een ezel. Iedereen dácht tenminste dat hij te stom voor woorden was, omdat hij maar niet leerde lezen. Ha, ha, ha! Niemand begreep dat hij *leesblind* was! Heerlijk toch? Eigenlijk nog veel leuker dan die kattenkop, want híj kon er werkelijk niets aan doen! Voordat de mensen hun fout inzagen kwam ik op de proppen en *Voem*! Een ezel! Hij probeerde nog weg te rennen. Maar ík was hem voor!'

Er kwamen tranen in Bernies ogen.

'Dat is vreselijk,' mompelde hij. 'U spaart ze... Keesje –'

'Keesje was gewoon een poedel,' zei de heks droog. 'Dat was eenvoudigweg een zetje in de goede richting. Een lokmiddeltje! Ja kereltje, voor jóu! Ik wist zeker dat je me daardoor zou verdenken. Ik wíst dat je daardoor in actie zou komen. Net zoals Bob de detective-gorilla zou doen! Dat boek dat ík je heb aangereikt, weet je nog? Dat ík jullie ben komen brengen! En daarna hoorde je dat hulpgeroep achter mijn voordeur. Goh, dát was geheimzinnig! Ja ja, het is gewoon een kwestie van de juiste ingrediënten... Ik wist vast en zeker dat al die dingen samen uiteindelijk onweerstaanbaar zouden zijn voor een nieuwsgierige kleine aap zoals jij.'

Bernie slikte. Hij besefte opeens dat hij zich in een spinnenweb bevond; een web dat de heks al lang geleden, heel nauwkeurig, als een steeds nauwer wordende cirkel om hem heen had gesponnen...

De heks leek zijn gedachten te raden.

'Inderdaad ventje. Ik heb me uitgesloofd voor jou. Is het je niet opgevallen dat al jouw grappen de laatste tijd zo grandioos leken te lukken? Elke grap had succes! Maar *waarom* dat zo was, daar dacht je niet aan, hè? Terwijl het misschien toch best vreemd is dat een auto uit zichzelf gaat rijden, vind je niet? Nee, het is zo raar niet dat de mensen je "kleine aap" zijn gaan noemen. Dat was míjn werk!'

Bernie slikte weer.

'Maar... waarom moeten al die kinderen eerst in een beest veranderd worden?'

'Ik kan toch moeilijk kinderkoppen aan de muur hangen,' zei de heks.

Ze keek alsof ze iets viezigs rook.

'Ik zou er niet aan moeten denken,' vervolgde ze. 'Al die starende kleine misbaksels aan mijn muur. Straks komt de politie nog kijken ook. Maar dierenkoppen doen het goed. Dat zijn mooie trofeeën. Die geven zo'n muur echt sfeer. En niemand vindt 't een probleem...'

'Maar waarom –'

'Heksen jagen nou eenmaal op kinderen, klein etterbakje!' schetterde de heks. 'Net zoals jagers op hazen jagen. Maar toveren gaat niet vanzelf, weet je! Pas als kinderen een *bijnaam* hebben gekregen is het mogelijk om ze te veranderen. Met kleurloze kinderen lukt 't niet. En geloof me, ik heb het geprobeerd!'

De heks leek nu woedend te worden. Haar gele ogen bliksemden.

'Jarenlang heb ik m'n best gedaan! *Jaren*lang, ja! Maar het ging niet! Het werkte niet! Al die saaie, brave kinderen bleven gewoon wie ze waren, wat ik ook deed! Weet je waarom dat was? Brave kinderen zijn eigenlijk net volwassenen! Die zijn precies zoals ze later zullen worden! Vervelend! Onopvallend! Die zullen later met plezier zo'n kabouter in hun tuin zetten! Maar ik had dat eerst niet door. Gehuild heb ik daarom! Ik kán het niet, dacht ik! Ik ben het niet waard om heks genoemd te worden! Op de heksenvergaderingen werd ik vierkant uitgelachen! Maar toen...'

De heks fluisterde nu bijna.

'...toen kwam ik op een avond weer zo'n klein krengetje tegen op een stil weggetje. Die werd door iedereen "olifantje" genoemd, alleen maar omdat hij aan de dikke kant was. En ik dacht: laat ik het nog één keer proberen... En *Wam!* Voordat ik het wist wás hij een olifantje! Toen begreep ik het opeens! Ik had hulp nodig! Ik had de hulp nodig van al die keurige, oppassende dorpsbewoners! Want *zij* waren het eigenlijk die het eerste duwtje in de goede richting gaven...'

Mevrouw Zwellengrebel maakte plotseling een sprongetje.

'Toen brak een prachtige tijd aan! Daar een varkentje! En daar een eend! En het lukte zelfs met een jongetje dat "druiloor" werd genoemd!'

Opeens werd de heks somber.

'Een paar zijn er ontsnapt,' zei ze zuur. 'Dat wel. Die waren handiger dan ik dacht.'

Nu keek ze Bernie recht aan.

'En jíj...' zei ze raspend. 'Jij bent een van de allerergsten, Bernie. Jij, met je grappen! Met al je fantasie! Jij bent een ontluikende bloem, jongetje! Een echte clown! Een clown met iets extra's... *Speciaal voor jou* ben ik daarom naar dit dorp gekomen! En heb ik al die brave inwoners ingefluisterd dat jíj de kleine aap in hun midden was. De bederver van hun warme eten... En bijna had ik je te pakken. Het was gewoon stom geluk dat je me de eerste keer bent ontsnapt. Met je gestuntel! En daarna... Ik heb een rótzomer gehad! Wekenlang heb ik jou bekeken! Eindeloos heb je me geërgerd achter m'n eigen huis! Jij en al die idiote dagjesmensen die je om je heen had verzameld! Zelfs door mijn tuin liepen ze! Mijn lieve vleesetende planten heb ik ervoor moeten vernietigen! Mijn haprozen die zo hun best hadden gedaan om je naar mijn huis te laten rennen...'

'Uw klaprozen...?'

'Mijn *hap*-rozen! Beeldige, vraatzuchtige roofbloemen, die goed waren afgericht! En toen kwam jij, met je halfgare circusgedoe! Ja, dat was slim van je bedacht, jochie, al die mensen! Mijn eigen tovenarij heb je tegen me gebruikt! *Heel* slim! Ik had je *verdomd* graag met een voltreffer uit de bomen geknald... Maar nu...'

Opeens werd haar stem weer heel gedempt.

'Nu is het dan eindelijk afgelopen met je apenstreken. Je eigen nieuwsgierigheid zal je de kop kosten. En die kop komt hier te hangen! Ik heb er lang op moeten wachten, maar nu ben je in m'n macht. Jij dacht dat je even in kon breken, hè. En heb je je nooit afgevraagd waarom die suffe, ouwe heks telkens weer een raampje open liet staan...?'

De heks lachte knarsend. Tegelijkertijd maakte ze een snel gebaar. Met een metalige klik klakten de sloten van de deuren dicht. Het koude zweet brak Bernie uit.

'Je hebt één keer geluk gehad, kleine vetvlek,' vervolgde de heks. 'Maar nou is het afgelopen!'

Verstijfd van angst stond Bernie tegen de muur. De Zwellengrebel maakte een zwaaiende beweging met haar arm. Een sissende roze vuurbol schoot op hem af.

Maar Bernie was niet langer een jongetje; hij was een halve aap. Hij was vlug als kwikzilver en behendig als een wezel. Hij nam de grootste sprong die hij ooit had gemaakt en zo wist hij de vlammende bol te ontwijken. Langs een kast schoot hij omhoog en de bol spatte uiteen op de vloer.

Terwijl hij over de kast verdween vuurde de heks alweer een nieuwe af. Die kaatste tegen de planken, waar gedroogde planten lagen in nette hoopjes. Er knetterde iets, een klein, geel vlammetje flakkerde op.

Als een kat in doodsnood schoot Bernie door de ruimte. Hij rende niet, hij *vloog*. Hij zweefde over kasten en racete langs de wanden en rukte tevergeefs aan enkele deuren. En de heks vuurde haar razende bollen af, en krijste: 'Ren maar, etterbakje! Vlieg maar! Doe maar alsof we hier aan het trefballen zijn! Maar je zult me niet ontsnappen! Je komt hier nooit meer uit!'

De kamer lichtte op in oranjegele kleuren, want hier en daar ontstonden brandjes. Vlammetjes lekten naar beneden. Er ontplofte een fles paarse drab. Brandende vloeistof droop over dierenbotten en stapels vodden.

De heks leek te groeien in het licht. Niets leek ze te zien van het echte vuur dat zich door de kamer begon te verspreiden, niets zag ze van de vlammende vloeistof die knisperend over de vloer kroop. Kleiner en kleiner werd de ruimte, want het vuur omgaf Bernie als een groep roofdieren, hij werd steeds verder ingesloten.

Toen rekte de heks zich uit voor het lanceren van de laatste, beslissende blauwe bol. Maar op dat ogenblik stuitte Bernie op de open haard; het enige gat waarin hij zich nog kon verbergen – hij dóók naar binnen.

Opeens bevond hij zich in de schoorsteen. Als een pijl schoot hij omhoog door de nauwer wordende pijp. Razendsnel klauwde hij zich naar de lichte opening boven zijn hoofd – de uitgang van de vreselijke tunnel.

Hij wurmde zich naar buiten. Direct daarna flitste een vuurbol langs hem heen. Hangend aan de schoorsteen keek hij omlaag. Onder zich zag hij nu het dak, waar de vlammen uitsloegen. De hele bovenverdieping van het huis stond in lichterlaaie, het vuur lekte flakkerend tussen de pannen. Ergens sprong knallend een ruit.

Er was maar één mogelijkheid: springen. In een fractie van een seconde vroeg hij zich af of hij het zou overleven, want hij was heel hoog boven de grond.

Hij had geen keuze. Bernie zette af... en sprong. Zijn handen klauwden wanhopig door de lucht.

Hij voelde hoe hij iets te pakken kreeg. Twee poten. Boven hem kraste de raaf, wild fladderde de vogel met zijn vleugels. En zo, half zwevend, half vallend, kwamen ze met een smak neer in de achtertuin van de heks.

Nauwelijks zaten ze daar of het huis begon te trillen van de zinderende hitte.

'Ze verbrandt...' zei Bernie.

Maar in de zolder kletterde een laatste raam aan scherven. Op haar bezemsteel spoot de heks naar buiten. Ze cirkelde een ogenblik boven de tuin en wierp een furieuze blik omlaag.

'Ik zal je krijgen!' krijste ze. 'Ik kom terug! Zolang ik leef zul je nooit meer een rustig moment kennen! *Nooit* meer!'

Daarna zette ze haar bezemsteel in een hogere versnelling en het ding schoot recht omhoog door de donkergrijze lucht.

Een knetterende explosie barstte uiteen. Krakend botste de

heks tegen de hoogspanningskabels boven het huis. Elektriciteit gierde door haar lichaam en gillend werd ze geroosterd. Het vuur stoof door de kabels en het volgende moment zat half Biesterkrimp zonder stroom.

Bernie merkte dat hij door een viertal handen werd beetgepakt. Hij werd naar binnen gedragen.

'Cool!' gilde Natasha.

'Vetgaaf!' krijste Kimberly. 'Jij bent geweldig, aapje!'

Hij werd neergelegd op de bank in de woonkamer.

'Alles oké, held?!' riep Natasha. 'Leef je nog?'

Bernie knikte wazig.

Jane kwam aangedraafd met een natte doek. Daarmee wreef ze het roet van zijn gezicht.

'Ze is dood...' mompelde Bernie. 'En ik heb een toverboek.'

Hij haalde het tevoorschijn en legde het op tafel.

'Waar is Tessa?'

'Alweer binnen!' gilden de meisjes. 'Die zit onder de bank! Kom op, kijken! Haar huis fikt af!'

Wankelend kwam Bernie overeind. Ze liepen naar de straat.

Daar zag het inmiddels zwart van de mensen. Ze wezen en praatten. Sommigen schreeuwden in hun mobiele telefoons.

Langzaam begon het brandende gebouw in elkaar te zakken. Er klonk gezucht en gekerm – het gezucht en gekerm van de geesten die in flessen gevangen hadden gezeten.

'Het zijn de sponningen!' riep een man. 'En de dakbalken! Die knappen door de hitte!'

Ook in de zonderlinge uitwaaierende blauwe en paarse walmen zag niemand iets bijzonders; men dacht dat het gaswolken waren, uit de gesprongen leidingen.

Hel en schitterend laaiden de vlammen op tegen de sombere regenlucht. Pas toen het huis in wolken van roet en as was verdwenen, pas toen het rommelend ineen was gestort, pas *toen* kwam de brandweer, met loeiende sirenes. Er werd nog wat nageblust, de opspattende vonken werden platgespoten onder stralen water; maar het huis was reddeloos verloren.

45

Het was feest. Terwijl de brandweer nog bezig was met het oprollen van de spuiten, danste Bernie met Kimberly en Natasha door de woonkamer.

'Ze is dood! Pleitos! Hartstikke weg!' riep Bernie en hij verzon ter plekke een apendans.

'De fik d'r in!' riep Kimberly.

'Als een worstje op de barbecue!' schreeuwde Natasha.

De raaf vloog krassend door de kamer, Tessa maakte een huppeltje op de borreltafel en Jane stond, een beetje achteraf, te glimlachen.

'Jij was echt schitterend!' riep Natasha.

Ze omhelsde Bernie en zoende hem weer op zijn mond. Meteen keek Bernie naar het konijntje, dat opgehouden was met huppelen. Triestig keek het diertje een andere kant uit. Hij liep naar haar toe en pakte haar op.

'Tessa... Niet treurig zijn. Ik heb een toverboek mee kunnen nemen!'

Nu keken ze plotseling allemaal naar het oude boek dat op de eettafel lag.

'Ik eerst!' riep Kimberly.

'Ik!' riep Natasha.

Ze stormden er duwend op af. Ze pakten het allebei beet.

'Hier dat boek, trut!'

'Ik eerst, secreet!'

'Ho!' riep Bernie. 'Stop! Jullie trekken het nog aan flarden!'

Hij rukte het boek uit hun handen.

'Stomme grieten.'

Kimberly giechelde.

'Ik bedoelde er niks mee hoor, schat,' zei ze tegen Natasha.

'Weet ik toch, lieverd,' zei Natasha.

'We gaan het gewoon de hele middag lezen,' zei Bernie. 'Met z'n allen.'

'En we halen er wat te eten bij,' zei Jane.

Ze pakte haar telefoon en bestelde vier pizza's.

De verdere middag zaten ze etend om de tafel te lezen. Het boek was gedrukt in statige, antieke letters en bepaalde gedeelten waren geschreven in een ouderwets Nederlands; maar het was best te volgen. Omstebeurt lazen ze stukken voor.

Ze leerden dat je om te toveren een bepaald talent moest hebben. Sommige mensen zouden het nooit doorkrijgen, ook al probeerden ze het jarenlang. Dit waren, volgens het boek, 'menschen zonder kronckel'.

'Zo'n beetje iedereen in het dorp dus,' mompelde Bernie.

'Daar zou je je nog behoorlijk in vergissen,' zei Kimberly. 'Wij zaten zelfs bij jou op school en als dit niet allemaal was gebeurd dan waren wij je nooit opgevallen. Om maar iets te noemen.'

'Hm,' zei Bernie.

Er bestonden, alweer volgens het boek, meerdere soorten heksen, mannelijke zowel als vrouwelijke. Sommige heksen gebruikten hun krachten om de mensheid te helpen, andere om die te bestrijden; het een was witte magie, en het andere zwarte. En dan had je nog een heleboel tussenvormen, zoals bijvoorbeeld groene magie (voor het laten groeien van een oerwoud), gele magie (voor het maken van kaas), grijze magie (voor het bestrijden van bejaarden), gouden magie (voor het verkrijgen van rijkdom) en neomagie (voor het verspreiden van virussen in computers).

Ze lazen dat je voor het toveren gebruikmaakte van rondzwevende 'ener-chieën'. Die energie ontnam je aan alles wat leefde; aan planten, aan dieren, maar vooral aan mensen in de buurt.

'Daarom lukte het de Zwellengrebel dus alleen om kinderen met een bijnaam te betoveren,' zei Bernie. 'Want die bijnaam hadden andere mensen bedacht. Dat vond ik zo irritant.'

'Gelukkig heb jíj mensen nooit een bijnaam gegeven, hè Bernie?' zei Natasha.

'Hm,' zei Bernie.

Ze lazen dat je bepaalde overblijfselen kon gebruiken van dode dieren of van gestorven mensen. En ze leerden dat bij een betovering de kleren die het slachtoffer droeg meestal verdwenen in het niets.

Verder waren er een heleboel zaken die ze niet konden volgen, over bepaalde soorten paddenstoelen, over mossen en schimmels en over bliksems en wervelwinden. Sommige stukken van het boek gingen opeens verder in het Latijn, en dat was een taal waar ze geen van allen iets van snapten.

Na de inleiding kwam het stuk dat Bernie al had gezien in

het heksenhuis. Halverwege dit stuk begon Jane erg te zuchten.

'Wat is er met jou?' vroeg Bernie.

'Ik heb er geen zin meer in,' zei Jane. 'Ik kan er gewoon niet meer tegen...'

Bernie voelde zich eigenlijk net zo. Hij hield van lezen, maar dit boek kostte hem meer inspanning dan normaal. De raaf Leo had zich intussen volgepropt met stukken pizza en zat in een hoek van de kamer te slapen, met zijn kop tussen zijn veren. Ook Tessa was in slaap gevallen, languit liggend in de fruitschaal. Alleen Kimberly en Natasha zaten nog steeds geconcentreerd te studeren.

'Jeetje!' zei Jane. 'Als jullie ooit zo hard gewerkt hadden voor school, waren jullie vast niet blijven zitten.'

Kimberly antwoordde niet. Natasha zei alleen maar: 'Stil, schat. Dit is heftig.'

Bernie wreef in zijn ogen. Buiten begon het alweer donker te worden.

Hij liep de achtertuin in. De lucht hier was koel en aangenaam aan zijn wangen. Daar lag wat het heksenhuis was geweest; een puinhoop van balken en stenen. Er hing een scherpe brandlucht omheen. En hoog boven de tuinen, in de kabels, hing, als een rafelig stuk zwart plastic, het verkoolde lijk van de heks.

Op straat, aan de voorkant van het huis, waren een paar mannen bezig met een grommende hoogwerker. Naar het lijk van de heks keken ze niet om.

In de keuken ging plotseling het licht aan. Nu pas viel het Bernie op dat alle huizen in de buurt nog donker waren geweest.

De hoogwerker zakte omlaag. Bernie voelde zich ineens

volkomen uitgeteld. Rillerig liep hij weer naar binnen, waar Kimberly en Natasha nog steeds met koortsachtige ogen zaten te bladeren.

Er werd gebeld. Jane ging opendoen en kwam terug met agent Van Wamsveld.

'Goedenavond,' zei de agent. 'Ik kom even vragen of jullie misschien iets weten van die dame van hiernaast. Niemand heeft 'r meer gezien sinds die brand. Eh... zijn jullie ouders niet toevallig thuis?'

'Shit, m'n moeder!' zei Kimberly opkijkend.

'We moeten gaan,' zei Natasha. 'Morgen komen we terug, stuk.'

'Doeg, held!' riep Kimberly, terwijl ze wegrenden. 'Mooie dag, hè!'

Van Wamsveld keek ze bevreemd na.

'Dat heb je als je beroemd bent,' zei Bernie.

De agent knikte meelevend.

46

Nadat Van Wamsveld was vertrokken trok Bernie zich terug op zijn kamer. Opeens vielen hem nu de jampotten op, die in een rij tegen de muur stonden. Zijn collectie dode dieren; het leek erg op de verzameling van de heks.

Bernie had al eerder bedacht dat dieren misschien niet zo heel veel verschilden van mensen. Dat dieren, net als mensen, allerlei stemmingen hadden, dat ze vrolijk konden zijn, of terneergeslagen, of boos, of gelukkig.

Hij nam zich op dat moment voor om geen vlees meer te eten. Hij was tenslotte zelf bijna een dier.

Een voor een gooide hij de potten weg, die gingen in de afvalbak in de keuken. Pas toen hij daarmee klaar was, ging hij in bed liggen; niet eronder, maar er*in*. Eindelijk kon hij gerust zijn. Zo, bedacht hij, moest ook Bob de detective-gorilla zich hebben gevoeld, als die weer een zaak had opgelost.

Tessa lag nog steeds te slapen in de fruitschaal en Sjakie kroop rond door het aquarium. Jane had zich teruggetrokken in haar eigen kamer en Leo zat bewegingloos in zijn hoek. Maar ze hadden gewonnen. De heks was dood en ze hadden haar toverboek. Intens gelukkig zonk Bernie weg.

Die nacht droomde hij opnieuw van gele ogen. Razend staarden ze hem aan. Opnieuw schrok hij wakker, en opnieuw was er niets, behalve zijn donkere kamer.

Even stond hij weer voor het raam. Er was een storm opgestoken. De takken van de bomen in de straat sloegen ruisend om zich heen. Onduidelijke flarden werden voortgejaagd langs de duistere hemel. Het heksenhuis was een berg niemandsland.

Bernie ging weer liggen en rolde zich op met zijn staart om zich heen.

47

Toen hij 's ochtends vanuit de woonkamer omhoogkeek was het lijk van de heks verdwenen. Er hingen nog een paar zwarte snippers aan de draden, maar het grootste deel moest 's nachts door de storm uiteen zijn gewaaid.

'Opgeruimd staat netjes,' zei hij tegen Tessa, die rondkroop over de vloer.

Leo fladderde achter hem aan terwijl hij naar de keuken liep. Hij liet de raaf naar buiten. Er was nog wat oud brood dat hij kon roosteren. Hij smeerde net een boterham met aardbeienjam voor Tessa, toen Kimberly en Natasha verschenen.

'God, wat zijn jullie vroeg.'

'Het boek,' mompelde Kimberly.

De meisjes liepen in een rechte lijn naar de eetkamer, waar de *Algemene inleiding in de magie* nog steeds open op de tafel lag. Meteen gingen ze weer zitten bladeren.

'Passen jullie op Tessa?' vroeg Bernie.

'Yes,' zei Natasha zonder opkijken.

Bernie liep naar buiten. Het leek alweer lang geleden dat hij had kunnen klimmen.

Langs de stam van een van de eiken schoot hij omhoog. Daarna buitelde hij opgetogen tussen de takken. Het leven was goed! Hij mocht dan nog steeds verder in een aap veranderen, de oplossing was in zicht. Van Wamsveld had gevraagd of ze enig idee hadden gehad hoe de brand was ontstaan – ze hadden braaf van nee geknikt. Niemand had er enig vermoeden van dat *zij* degenen waren geweest die de Zwellengrebel hadden overwonnen. En eigenlijk hadden ze haar niet eens echt hoeven vermoorden; ze was tenslotte zelf tegen de kabels geknald.

Bernie zag het weer voor zich. Hij besefte dat het makkelijk heel anders had kunnen lopen. Daar, in de hoogte, hingen nog die zwarte flarden. Hij keek rond. Alles zag er verder normaal uit. Alleen... er lag iets... in de verte, in de weilanden...

Ja, het was zelfs best opvallend; het gras leek op één plek verschroeid...

In drie sprongen was Bernie op de grond. Hij liep het weiland in.

Naast een dorre plek in het gras lag de bezem van de heks. Het ding was onder de Zwellengrebel uitgeschoten toen ze in aanraking kwam met de hoogspanningskabels...

Bernie inspecteerde zijn vondst heel secuur; toen bukte hij zich en pakte hem op. Hij voelde stevig aan. Hij was niet zwaar. Eigenlijk leek het erg op een doodgewone bezem.

Langzaam liep hij terug naar huis.

48

In de woonkamer zaten Kimberly en Natasha nog steeds boven het opengeklapte boek. Maar ze bestudeerden niet de bladzijden; roerloos zaten ze elkáár op te nemen.

'Hoi...' zei Bernie.

Er werd niet op gereageerd. Ergens in de buurt klonk zacht gepiep.

'Tessa!' riep Bernie. 'Waar ben je?'

Het kopje van het konijntje dook op van onder het dressoir. Toen nam ze een aanloop en rende naar Bernie. Blazend sprong ze in zijn uitgestrekte handen.

'Wat is er... Wat is er toch?'

Kimberly en Natasha begonnen nu gelijktijdig te glimlachen. Ze draaiden hun hoofd in de richting van Bernie. Hun ogen straalden, het leek alsof ze licht gaven.

'Volgens mij kunnen we het proberen,' zei Kimberly.

'Ja, stuk,' zei Natasha. 'Kom maar hier met die rat. Dan gaan we wat leuks doen!'

De meisjes lachten kakelend, wat Bernie even herinnerde aan de lach van de heks.

In de gang klonk gehijg. Jane kwam aanlopen met een boodschappentas.

'Ja ja,' zei ze tobberig. 'Inkopen. Daar heeft natuurlijk niemand aan gedacht.'

In de keuken smeerden ze beschuiten en dronken ze cola.

'Wij hebben wat ontdekt,' zei Kimberly.

'Dat hebben wij zeker,' zei Natasha. 'Opeens drong het tot ons door.'

'Wat dan?' vroeg Jane.

'Hoe het moet,' zei Kimberly. 'Kijk maar.'

Ze wees naar de beschuit met kaas die Jane in haar hand hield. Er knetterde iets. De beschuit maakte een sprongetje.

'Hu!' riep Jane.

Nu steeg de beschuit op en gleed als een vliegende schotel door de keuken. Boven het aanrecht botste hij tegen een muur. Hij viel en kwam met een droge tik terecht in de gootsteen.

Bernie en Jane stonden met open mond te staren.

'Ik hoef, geloof ik, niet meer,' zei Jane.

'Gaaf hè!' riep Kimberly. 'Nu kan ik het ook als ik dat wíl!'

'Ja!' zei Natasha. 'En ik kan iets anders. Ook heel vet! Let op!'

Ze pakte een mes en legde het voor zich neer. Ze strekte haar handen erbovenuit en mompelde iets.

'Zo!' zei ze.

'Ik zie niks abnormaals...' zei Bernie.

'Pak het maar op,' zei Natasha.

Bernie greep het mes en trok toen onmiddellijk zijn hand weer terug.

'Het voelt zacht...'

Natasha gniffelde. Tussen duim en wijsvinger tilde ze het voorwerp op. Het boog door; als een stukje rubber bungelde het mes tussen haar vingers.

'Goed hè!' riep Natasha. 'Dit gaan we op school doen! Alles wat Kokelberg in zijn handen heeft laten we wegvliegen of slap worden!'

Jane keek de meisjes met grote ogen aan.

'Maar kunnen jullie dan nu ook Tessa terugtoveren?'

'Tuurlijk!' riep Kimberly. 'We gaan het gewoon proberen!'

Tessa begon alweer kermend te piepen. Bernie drukte intussen met zijn wijsvinger tegen het slappe mes. Onwillekeurig ging het door hem heen hoe Kimberly op het uiteinde van het bed had gezeten, terwijl ze eigenlijk op datzelfde moment bij de Chinees was. En toen hij beter naar haar wilde kijken was ze weg geweest. Het drong nu tot hem door dat precies zo de heks een keer was verdwenen, toen hij in de tuin stond naast Sjakie de slak...

'Jullie zijn heksen aan het worden...' zei hij.

'Yes!' krijste Kimberly.

'Yiehaa!' schreeuwde Natasha.

'Misschien moeten jullie eerst nog wat oefenen,' zei Jane.

Daarop loerden de meisjes precies tegelijkertijd naar Bernie.

'We kunnen oefenen op jou,' zei Natasha zacht.

'Ja, aapje,' zei Kimberly. 'Dat doen we graag.'

Een rilling trok door Bernie heen.

'Ik heb ook iets ontdekt,' zei hij gauw.

'Wat dan?' vroeg Jane.

'De bezem,' zei Bernie. 'De bezem van de Zwellengrebel. Die lag in het weiland.'

'Wat?' krijste Kimberly. 'Waar?!'

'Hij ligt nu in de achtertuin, maar –'

De meisjes rukten de keukendeur open en holden achter elkaar de tuin in.

'Ik eerst!'

'Nee, ík!'

'Truttenkop!'

'Feeks!'

'Loeder!'

'Secreet!'

Jane en Bernie wisselden een ontstelde blik. Het was alsof ze de meisjes, die daar om het hardst aan de bezem stonden te trekken, nauwelijks meer herkenden. De ogen van Kimberly leken vuur te spuwen. Maar Natasha strekte een hand uit en begon weer te mummelen.

'Ze zijn hondsdol geworden,' mompelde Bernie. 'Het komt door dat boek.'

Jane knikte beduusd.

Ineens begonnen Kimberly en Natasha allebei te glimlachen.

'Ik bedoelde het niet zo, schatje,' zei Kimberly.

'Weet ik wel hoor, popje,' zei Natasha. 'Jij mag als eerste.'

Kimberly ging boven de bezem staan. Ze prevelde iets. De bezem gaf een rukje. Daarna viel hij weer neer.

'Nog een keer,' zei Kimberly.

Ze mompelde weer iets. Er gebeurde niks.

'Oké, lieveling,' zei Natasha mierzoet. 'Nu ben ik.'

'Ik dacht 't niet!' zei Kimberly.

Ze zei nu hardop een spreuk. En ineens spoot de bezem weg. Kimberly kon zich nog net vastklemmen; gillend werd ze de lucht in gesleurd.

Natasha strekte haar handen uit. Ze bewoog haar vingers alsof ze pianospeelde.

Daarop werd de bezem, die op een paar meter boven de tuin scheerde, slap als een stuk elastiek. Eerst boog het ding door, toen klapte het dubbel. Met een smak kwam Kimberly terecht in de heg. Natasha giechelde.

'Heb je je pijn gedaan, lieveling?'

'Takkewijf!' krijste Kimberly vanuit de doorntakken.

'Schatje toch,' zei Natasha. 'Het was om je te redden...'

Bernie sloot de keukendeur.

'Ze zijn echt niet goed bij hun hoofd,' zei hij tegen Jane.

Maar Jane stond niet langer achter hem. Bernie vond haar terug in de woonkamer. Ingespannen zat ze het boek te bestuderen.

49

De verdere middag zat Bernie naast zijn zus te lezen. Tessa scharrelde rond over de vloer en Kimberly en Natasha leken zich erg te vermaken met de heksenbezem. Blijkbaar hadden ze het ding weer recht kunnen toveren; soms schoot de bezem suizend langs het raam van de woonkamer, en erbovenop zat een van de meisjes te gillen. Een enkele keer kwam de bezem langs terwijl er niemand op zat.

'Zo,' zei Bernie na enkele uren. 'Ik geloof dat ik het ook al een beetje beter snap. Let op...'

Hij strekte zijn handen uit in de richting van het dressoir en sprak hardop een van de spreuken uit.

Daarna probeerde hij het nog eens.

'Noppes,' zei hij teleurgesteld. 'Misschien ben ik een van die mensen die het nooit zullen leren.'

Jane keek zuchtend op.

'Eerst met iets kleins,' zei ze.

Ze legde een tijdschrift op tafel. Ze concentreerde zich. Ze lispelde een spreuk.

Het tijdschrift bewoog geen centimeter.

Jane haalde haar schouders op en las verder.

Natasha en Kimberly kwamen binnen, samen met Leo.

'Oké!' riep Kimberly. 'En nu is Tessa aan de beurt!'

'Weet je het zeker?' vroeg Bernie. 'Denk je echt dat jullie genoeg weten?'

'Het gaat toch hartstikke briljant?' zei Natasha. 'Wij zijn natuurtalenten! Wist ik al lang, trouwens. Maar toen hadden we nog geen toverboek. Moeten we het eerst eens uitproberen op jou?'

'Nee... dank je,' zei Bernie.

'Dan beginnen we met ons konijntje.'

Tessa trachtte zich piepend achter een stoelpoot te verstoppen.

'Hier jij!' zei Kimberly, terwijl ze het beestje hardhandig bij de achterpoten greep. 'Werk nou verdikke eens even mee. We zijn je aan het redden!'

Tessa werd neergezet op tafel. Meteen probeerde ze weg te glippen.

'Rustig aan!' gromde Natasha.

'Ondankbaar mormel!' kraste Kimberly.

Ze prevelde iets en daarna leek Tessa zich niet meer te kunnen bewegen. Stokstijf bleef ze staan, alsof ze bevroren was.

'Mooi werk, liefje,' zei Natasha.

De meisjes stroopten de mouwen van hun T-shirt op. Ze gingen rechtop staan en strekten hun lange, bleke armen uit. Het was precies de houding, bedacht Bernie, die hij de Zwellengrebel enkele keren had zien aannemen.

'Eerst ik!' fluisterde Natasha.

'We doen het gewoon allebei!' siste Kimberly.

Nieuwsgierig keken Bernie en Jane toe, hoe Natasha en Kimberly tegelijkertijd begonnen te mompelen. Bernie merkte op dat ze twee verschillende spreuken uitspraken, door elkaar heen. Hun vingers vonkten. Groene vlammetjes knisperden uit hun handpalmen. Een kleine straal van licht trof het konijntje.

Even was alles in de kamer wazig, alsof er een dunne mist hing.

Toen de mist optrok lag er een grapefruit op tafel. Een grote, ronde, bleke grapefruit.

De raaf kraste vanuit zijn hoek.

'Tessa!' riep Bernie. 'Tessa! Ben jij dat?!'

Kimberly en Natasha keken stomverbaasd naar hun werk.

'Shit!' riep de grapefruit.

'Tessa...' zei Bernie. 'Ben je daar?'

'Ik weet 't niet *zeker*,' antwoordde de grapefruit.

Op dat moment begonnen Kimberly en Natasha te gillen van het lachen. Ze kwamen niet meer bij.

'Ze kan nu wel praten,' zei Kimberly hikkend.

'Ja,' riep Natasha. 'Dát is ons dan toch maar gelukt!'

'Kaktroela's!' schold de grapefruit, en even werd de vrucht roze van woede.

'Nou zeg,' zei Natasha, plotseling beledigd. 'Het had veel erger gekund.'

'Ja!' riep Kimberly, opeens met een heel ander gezicht. 'Houd jij je brutale mondje maar! Anders veranderen we je in een computervirus!'

'Ja!' riep Natasha. 'Of in een sigaret! En die roken we dan op!'

En weer begonnen ze te proesten.

'Hou op!' riep Jane.

De meisjes zwegen abrupt.

'Kunnen jullie ook nog even *normaal* doen?!' blafte Jane. 'Dit is *niet* leuk! Hoe denken jullie dat Tessa zich voelt?! Of haar ouders?!'

Kimberly en Natasha keken naar de grond.

'Weet ik veel,' zei Kimberly.

'Dat weten jullie best,' zei Jane. 'Jullie gedragen je als twee echte heksen.'

Natasha maakte een snuivend geluid.

'We maken gewoon wat gein,' zei ze.

'Laat nou maar zitten verder,' zei Kimberly. 'Heus, we helpen jullie wel, hoor.'

'Precies,' zei Natasha. 'Wij zijn lieve heksen. We gaan het nog eens proberen.'

'Néé!' gilde de grapefruit met een rare, fruitige stem.

'Konijntje,' zei Bernie. 'Tessa, bedoel ik. Je wilt toch geen grapefruit blijven?'

'Ik... Ik ben bang,' zei de grapefruit.

'Natuurlijk ben je dat. Dat zijn we allemaal. Nou ja, misschien niet allemaal... Maar ik in ieder geval wel. En ik heb ook geen andere oplossing. We móeten het nog een keer proberen.'

'Kan-ie weer?' vroeg Kimberly opgewekt.

'Dit keer doen we het omstebeurt,' beloofde Natasha.

De grapefruit kleurde van lichtgeel naar wit. Kimberly strekte voor de tweede keer haar handen uit. Ze begon te mummelen.

Maar er verschenen geen vonken, geen groen vuur. En de grapefruit bleef een grapefruit. Kimberly liet haar handen zakken.

'Het lukt me niet meer,' zei ze.

'Kan ik me voorstellen,' zei Natasha. 'Ik ben ook best wel effe uitgepierd eigenlijk. Sorry hoor. Toveren is inspannend.'

Ze merkten nu dat ze allemaal aan het eind van hun krachten waren. En dus spraken ze af dat ze pas de volgende dag opnieuw een poging zouden ondernemen. Daarop vertrokken Natasha en Kimberly naar huis.

'We kunnen de bezem pakken,' opperde Natasha nog, bij de deur.

'Ik dacht 't niet,' zei Bernie. 'Die bezem blijft hier.'

'Kalm maar, aapje,' zei Kimberly. 'Je moet de dingen wat minder zwaar opvatten... Nou goed, we lopen wel.'

En ze sloeg de deur achter zich dicht.

50

De volgende ochtend was het Bernies beurt om boodschappen te doen. Met een plastic tas liep hij over de Biesterkrimpse

Achterweg. Het was heerlijk om weer gewoon buiten te kunnen lopen.

Traag duwde hij een karretje door de supermarkt. Het had, merkte hij nu voor het eerst, zeker voordelen dat zijn ouders weg waren; ze konden eten waar ze zin in hadden. Glimlachend laadde hij zakken drop in zijn mandje, en zoutjes, karamels, een halfje wit, roomijs en cola. Zijn hand ging als vanzelf naar een pot aardbeienjam. Maar meteen besefte hij dat dat niet nodig was; grapefruits eten zelden jam.

Daarna stond hij in de rij voor de kassa. Voor hem stonden twee vrouwen te praten.

'Ik begreep er niks van,' hoorde hij mevrouw Van der Wurf zeggen. 'Opeens die vrouw in dat programma. Weet je, ik kijk al jaren naar *Weekend Miljonairs*. Ik vind die presentator zo'n énige man. En toen verscheen opeens dat rare wijf, recht ervoor. Zomaar, uit het niets, stond daar dat mens! Ik begreep gewoon niet waarom ze dat hadden gedaan. Het was helemaal niet leuk.'

'Misschien een soort van goocheltruc,' zei mevrouw Penning.

Mevrouw Van der Wurf schudde weifelend haar hoofd.

'Misschien,' zei ze. 'Eerst was ze eventjes doorzichtig. Toen stond ze daar. Alsof het een geest was. En daarna keek ze om zich heen met een blik... Ik schrok er van! Van die ogen die recht door je heen gingen. Het leek alsof ze zo de huiskamer in keek.'

'Heel curieus,' zei mevrouw Penning. 'Mijn man heeft ook naar *Weekend Miljonairs* gekeken. Maar die heeft er niks van gezegd. Nou ja, misschien zat-ie weer eens te slapen.'

'Weet u wat nog het raarste was?' ging mevrouw Van der Wurf verder. 'Ze leek precies op die dame. Die dame uit dat afgebrande huis. Hoe heette ze ook weer? Zwellengrubbels of zoiets...'

Bernie stond erbij alsof hij door de bliksem was getroffen. De muren van de supermarkt leken op hem af te komen. Had hij het verkeerd verstaan...?

'De Zwellengrebel!' riep hij.

Verstoord keken de vrouwen om. Even gingen hun wenkbrauwen omhoog. Daarna knikte mevrouw Van der Wurf.

'Inderdaad,' zei ze. 'Die naam, die zocht ik, ja. Dat mens dat verdwenen is. En nu zomaar op de tv. Dat is toch eigenaardig.'

Met kloppende slapen beende Bernie terug door het dorp. Hij keek naar de lucht, waar wat schapenwolken hingen. Hij keek naar de huizen, die hem nu niets anders leken dan decors waarachter een heks zich zonder moeite kon verschuilen. Hij keek naar de heggen en de bomen, die vol leken te zitten met loerend gevaar...

De Zwellengrebel. Op tv. Het was onmogelijk... Bernie begon te rennen.

Rillend stormde hij naar huis. In de woonkamer stonden Kimberly en Natasha om de tafel, Jane zat op de bank.

'Wat zie jij eruit,' zei Kimberly. 'Alsof je een geest hebt gezien.'

'De Zwellengrebel!' hijgde Bernie. 'Een vrouw heeft haar gezien! Dénkt ze! Misschien... Misschien lééft ze nog!'

Er viel een ijskoude stilte.

Hakkelend vertelde Bernie wat hij had gehoord. Toen hij klaar was met zijn verhaal bleef iedereen nog lang zwijgen. Totdat er iemand 'Allemachtig!' zei.

Het was de stem van een jongen geweest. Onthutst keek

Bernie naar het tafelblad, waar de stem vandaan was gekomen. Daar lag een komkommer.

'Wat... wat is dat?'

'Dat is Leo,' zei Kimberly.

'Het is weer eh... niet helemaal gelukt,' zei Natasha. 'Maar... Nou ja. Hij kan nu wel praten dus. Net als Tessa...'

'Stomme trutten!' klonk het.

'Ja!' riep de grapefruit vanuit de fruitschaal. 'Prutsers zijn jullie! Ik wil geen vrucht meer zijn!'

'Kalm nou maar,' zei Kimberly fronsend.

'Kalm?' riep Jane vanaf de bank. 'De heks lééft misschien nog! Tessa en Leo zijn veranderd in groenten! Bernie gaat er steeds merkwaardiger uitzien! En we moeten *rustig* zijn?!'

Onwillekeurig voelde Bernie aan zijn gezicht. Op zijn wangen zaten haren. En die haren zaten vast.

'Jullie moeten wel normaal blijven doen,' zei Kimberly. 'Dit is een beetje een tegenvaller misschien. Maar ik weet wel wat er gebeurd is. Ik heb d'r iets over gelezen in het toverboek.'

'Wat dan?' vroeg Bernie.

'De heks zit in de kabels. Ze is elektrisch geworden.'

'Wat?' vroeg Bernie slikkend. 'Wát?'

'Zoiets,' antwoordde Kimberly. 'Het boek zegt dat heksen kunnen veranderen in energie. Dan heeft ze dus geen lichaam meer, maar is ze... weet ik veel... een wolkje elektriciteit of zo.'

Bernie had opnieuw het gevoel alsof de grond wegzonk onder zijn voeten. De Zwellengrebel zou dus werkelijk nog bestaan! Ergens in Biesterkrimp gierde ze door de stroomkabels. En dus kon ze onder de vloer zitten. Of achter muren. Of in de broodrooster. Of in de koelkast...

'Als dat zo is,' zei Bernie langzaam, 'dan... dan kan ze nu

overal zijn. Toen ze nog een mensengedaante had, was ze tenminste zichtbaar. Maar als ze nu een wolkje stroom is, of iets dergelijks...'

'We mogen geen licht meer gebruiken!' zei Jane. 'En de koelkast moet uit. Alles waar stroom doorheen gaat!'

Ze stoof naar de koelkast. Bernie schoot naar een elektrische klok. Ze holden naar de slaapkamer van hun ouders, waar een wekkerradio stond. De telefoon werd uit het stopcontact getrokken. En de verwarmingsketel werd uitgeschakeld.

Alle andere apparaten in huis, zoals de tv of de radio, waren levenloos zonder stroom.

In de woonkamer zaten ze verslagen bij elkaar.

'Ze is op zoek,' mompelde Bernie. 'Op zoek naar *mij*... Vanuit tv's die aanstaan kijkt ze in huiskamers! En als ze in het verkeerde huis is vertrekt ze weer...'

'Rustig nou maar,' zei Natasha. 'Als je niks aandoet, geen apparaat bedoel ik, kan ze niet binnenkomen, toch? En verder zijn wij er ook nog.'

'Mooie hulp,' klonk het vanaf de fruitschaal.

'Ze heeft gelijk, Bernie,' zei Jane. 'Wij zullen je helpen. We moeten verder studeren in het boek. Ik heb 't nog lang niet uit. Het gekke is, dat hoe meer je erin lijkt te lezen, hoe dikker het wordt.'

'Voor één keer heb je gelijk, schat,' zei Natasha. 'Je kunt lezen tot je ons weegt in dat boek. Je komt er nooit mee klaar.'

Jane ging aan tafel zitten en sloeg opnieuw het boek open.

'Ik ga naar buiten,' zei Kimberly. 'Ik... ik heb hier gewoon effe genoeg van. Dat negatieve gedoe...'

'Ik ga mee,' zei Natasha. 'Als je genoeg gelezen hebt, Jane, dan roep je maar. Dan gaan wij verder.'

De meisjes liepen naar de achtertuin. Niet lang daarna hoorde Bernie hen weer gillend lachen. Ze stonden op het gras en de heksenbezem sprong als een jonge hond tussen hen op, eerst naar de één, dan weer huppelend naar de ander. Terneergeslagen ging Bernie naast de fruitschaal zitten en aaide zacht over de grapefruit.

'We komen er wel uit, konijntje,' zei hij wel drie keer.

'Oké,' zei Tessa ten slotte. 'Hou nou maar op met aaien. Je hoeft niet te denken dat grapefruits kunnen *spinnen* of zoiets.'

'Niet zo zuur doen,' zei Bernie.

51

Die middag viel *De Biesterkrimpse Bazuin* in de bus. Het dorpskrantje was dikker dan ooit. Op de voorpagina stond een groot artikel over de verdwijning van Tessa. Op de volgende pagina stond een verslag van de brand. En daarna stonden er nog verscheidene ingezonden brieven van mensen die klaagden over de ontvangst van hun tv-programma's; want telkens verscheen er 'iets' voor het beeld.

Als laatste stond er een berichtje over een boer die beweerde dat hij in de weilanden een geheimzinnig wezen was tegengekomen. Het wezen was zo groot als een kind geweest, en het had langs een sloot gelopen. Het was roze van kleur geweest, met zwarte vlekken en met gaten. Het had maar één arm gehad, en onder die ene arm had het zijn hoofd gedragen.

'Een echte Knipscheerproductie,' las Bernie hardop voor aan de komkommer en de grapefruit.

'Stuk voor stuk rotberichten,' zei de komkommer. 'Het is duidelijk komkommertijd.'

'Zeg,' zei Jane tegen Bernie. 'Kun jij even op je kamer of zo gaan zitten? Ik probeer hier wijs uit te worden.'

Ze had een paar kaarsen op tafel gezet. Kimberly en Natasha waren nog steeds in de achtertuin bezig met het dresseren van de bezem. Ze konden hem nu al rondjes laten draaien in de lucht.

Bernie slofte naar zijn kamer. Daar ging hij op bed liggen. Hij was ziek van angst. Een heks die je kon zien, dat was huiveringwekkend, maar je had tenminste nog het gevoel dat je hier te maken had met een duidelijke tegenstander. Maar een wolkje elektriciteit, dat was ongrijpbaar en afgrijselijk...

In sommige huizen aan de overkant van de straat waren de lichten aan. En in een van de huiskamers zag hij zelfs het flikkerende blauwige licht van de tv.

Moest hij die mensen waarschuwen? Nee. Ze zouden hem vierkant uitlachen.

Er klonk geknetter. Meteen sprong hij over de trap omlaag.

In de woonkamer stond Jane verwilderd om zich heen te kijken.

'Ik... ik zei iets...' zei ze. 'Ik las hardop... En ineens...'

Ze wees naar het dressoir. Het grote, hardhouten ding was als een plumpudding in elkaar gezakt. Het was veranderd in een lillende, slappe berg donkerbruine gelei.

'Gefeliciteerd,' zei Bernie.

Even stonden ze, ondanks alles, naar elkaar te glimlachen.

52

Jane en Bernie aten die avond zoutjes in dipsaus en karamels op witbrood bij het licht van kaarsen. Het had iets genoeglijks kunnen hebben, die maaltijd bij het vriendelijke, flakkerende schijnsel, ware het niet dat Bernie voortdurend nerveus om zich heen zat te gluren. Hij moest zich telkens dwingen tot een volgende hap.

'Kop op,' zei Jane. 'Ik ben ermee bezig.'

'Heel fijn,' klonk het vanaf de fruitschaal. 'Dat is echt wat je noemt hoopgevend.'

'O Leo,' zei Jane. 'Heus, we vinden er wel iets op. We zullen net zolang doorgaan totdat je weer de oude bent.'

'Goddank eten jullie geen groenten,' zei Leo knorrig.

'Misschien kunnen we je planten,' zei Jane. 'Dan krijg je kleine komkommertjes.'

'Jane!' zei Bernie. 'Je begint al net zo te praten als Kimberly en Natasha.'

Jane kleurde.

'Het komt inderdaad door dat boek,' zei ze. 'Dat doet iets met me.'

'Je wordt ook een heks als je niet uitkijkt,' zei Bernie.

'Misschien,' zei Jane. 'Nou, dat ís dan maar zo. Eerlijk gezegd wordt alles er wel iets leuker van.'

'Hoezo?'

'Ach, het is gewoon minder vervelend om dik te zijn als je zeker weet dat je iemand in een groente kunt veranderen... Als meester Kokelberg me komend jaar geen betere cijfers geeft, nou, dan is hij aan het einde van het jaar gegarandeerd een bloemkool of een krop ijsbergsla.'

'Als je je schoolboeken leest ga je heus wel over,' zei Bernie.

'En óf ik overga,' zei Jane dreigend. 'En pa en ma moeten ook uitkijken.'

'Pa en ma? Hoezo?'

'Kom op, Bernie! Neem nou ma... Onze *moeder*! Onze moeder denkt alleen maar aan vreten! Daarom ben ik ook zo geworden. En dan hebben we nog pa... met al z'n belachelijke praatjes over God en zijn handeltje in stukken land die niet bestaan... En dat is dan onze *vader*!'

'Maar het blijven onze ouders.'

'Ja. Maar ondertussen interesseerde het ze nooit een zak hoe het met *ons* ging! Jij haalde voortdurend idiote dingen uit, en pa bemoeide zich er alleen mee als hij bang was voor de politie. En ik, ik lag maar op die bank te kniezen... En die poppen...'

'Speelde je daarom met poppen?'

Jane keek nogal droevig nu.

'Die poppen, dat waren... weet ik veel. Als je nu gaat lachen zeg ik niks meer'

'Ik lach niet. Echt niet.'

'Die poppen waren mijn kinderen of zoiets. Ik had daar gesprekken mee. Die poppen luisterden wel naar me...'

Bernie kreeg een brok in zijn keel.

'Sorry dat ik daar grappen over heb gemaakt,' zei hij.

Buiten klonk een knal. Bernie sprong op van zijn stoel.

'Onweer,' zei Jane.

Omdat de kamer enkel verlicht was met kaarsen, was de bliksem erg aanwezig. Bernie en Jane gingen achter het raam staan kijken. Na een paar minuten rommelde opnieuw de donder. Het werd gevolgd door een knisterend, sissend geluid. Hoog boven het huis trok een groene, lichtgevende streep door de lucht.

'Daar gaat ze...' fluisterde Jane ademloos. 'Door de kabels.'

'Ze is op jacht,' fluisterde Bernie. 'Ze probeert uit te vinden hoe ze bij me in de buurt kan komen...'

'Zolang er maar geen elektriciteit in huis is zal ze je niet kunnen vinden,' zei Jane.

Bernie huiverde hardop. En plotseling, voor het eerst, sloeg Jane haar armen om hem heen.

'Kalm maar,' zei ze. 'We komen er wel uit. We ploeteren door! Dat voorbeeld heb *jij* me trouwens gegeven, weet je dat...? Jij bent tot nu toe zo moedig geweest! Dat was je altijd al. Op de een of andere manier kon jij altijd lachen om alles. Je was altijd moediger dan iedereen. Je hebt zelfs die staart gebruikt om... om er beter van te worden. Iemand anders was op zo'n moment alleen maar doodsbenauwd geworden. Maar jij bent doorgegaan.'

'Ik moest de dingen toch oplossen,' mompelde Bernie.

'Weet ik,' zei ze. 'Ik had ook altijd het gevoel dat ik de dingen in m'n uppie moest oplossen. Maar ík heb nooit ergens om kunnen lachen.'

Bernie bedacht dat dat waar was. Hij besefte ineens dat hij zijn zus nog nooit hardop had horen lachen.

'Waarom eigenlijk niet?'

'Dat zit gewoon niet in me,' zei Jane. 'Daar is alles te moeilijk voor, vind ik.'

'Zó moeilijk was het vroeger toch ook weer niet?'

'Ik zou best willen dat ik kon lachen,' zei Jane. 'Zoals jij dus. Echt. Maar ik kán het niet...'

Buiten nam het onweer af. Alles leek weer tot rust te komen.

53

Toen Bernie 's ochtends zijn ogen opendeed begon het buiten licht te worden; een vaal, somber licht, de lucht boven de daken kleurde donkergrijs. Een stevige wind schuurde om de muren van het huis.

Bernie moest koud douchen, want de verwarmingsketel stond uit. Het water priemde met naalden door hem heen, maar het leek zijn bedruktheid weg te spoelen – hij leefde nog.

Hij schrok toen hij in de spiegel van de badkamer keek; dunne, bruine haren groeiden uit zijn wangen. Waren het er enkele dagen geleden nog maar een paar geweest, nu waren het er veel. De vacht op zijn benen was inmiddels in strengen omhoog gekropen over zijn buik en zijn borst. Toen hij zich beter onderzocht zag hij dat ook op zijn schouders de stoppels begonnen op te komen. En bovendien leken zijn armen nog langer dan eerst.

Langzaam kleedde hij zich aan. Door de gebeurtenissen van de laatste tijd had hij de gedachte telkens kunnen wegduwen; maar zijn spiegelbeeld drukte hem op de waarheid – straks was hij werkelijk een aap...

In de keuken was een plas ontstaan. De koelkast was ontdooid, het ijs gesmolten. Bernie maakte een boterham voor zichzelf, schonk een glas cola in en ging naar de woonkamer.

'Hoi Tessa, hoi Leo.'

'Ook hallo,' zei de komkommer mat.

De grapefruit lag te snikken.

'Ze huilt al uren,' zei de komkommer. 'Ze moet ophouden, het is een rotgeluid. En straks is ze nog uitgedroogd.'

Mistroostig ging Bernie zitten eten. De hoop gelei, die ooit het dressoir van zijn moeder was geweest, begon hard te worden. Het was een kleverige berg waar je niet in moest gaan staan.

Het toverboek lag open op tafel. Toen Bernie er in keek bewogen de letters. Als mieren krioelden ze door elkaar, toen vormden zich woorden, en die woorden vormden zinnen. Bernie keek er nauwelijks van op. Ook aan magie kon je blijkbaar wennen.

Jane kwam de kamer binnen.

'Zo,' zei Bernie. 'Lekker geslapen?'

'Ik weet niet,' zei Jane. 'Ik sliep.'

Ze kwam tegenover hem zitten.

'Er is iets met jou,' zei hij.

Jane knikte.

'Ik heb me opgemaakt,' zei ze. 'Natasha en Kimberly hebben wat spullen laten liggen.'

'Hè? Waarom?'

'Omdat ik er zin in had,' zei Jane. 'Na dat gesprek van gisteren. Oorlogskleuren of iets dergelijks...'

Ze boog zich over het toverboek.

'Zeg je niks?' zei Bernie.

'Wat dan?' vroeg Jane.

'Over mijn hoofd...'

'Ik heb 't wel gezien,' zei Jane. 'We moeten opschieten.'

'We?'

'Ja. We. Ik begin iets door te krijgen. Volgens mij moeten we het met z'n drieën doen. Kimberly, Natasha en ik, bedoel ik. Dat is hun fout geweest. Die meiden denken dat ze alles in hun eentje kunnen, maar dat is niet zo. Dat is wel gebleken. Dus laat je nooit als proefkonijn gebruiken voor hun trucs.'

‘Zoals Tessa…’

‘Juist. En nu wil ik verder lezen. En jij…’ vervolgde ze tegen de grapefruit. ‘Hou óp met janken, alsjeblieft! Ik kan me niet concentreren zo.’

De grapefruit snufte nog wat na, maar werd toen stil.

‘Hè hè,’ zei de komkommer. ‘Dat is beter.’

‘En nu,’ kefte Jane, ‘houden alle vruchten en groenten eventjes hun bek.’

Buiten begon het te regenen. Een stortregen, die kletterde tegen de ruiten. Daarna werd het minder, al bleef het in vlagen neervallen.

Bernie trok zijn jas aan en liep de achtertuin in. Die regen was best verfrissend. Hij slenterde langzaam tot onder de eiken, daar stond hij enkele minuten uit te kijken. De weilanden waren nevelig en groen. De weidsheid van het uitzicht was altijd een van de beste dingen van hun huis geweest.

Hij stapte verder. Koud was het niet. Hij likte het vocht van zijn lippen. Er vlogen wat meeuwen, helderwit tegen het asgrijs. Hij volgde de vogels met zijn blik. Ze vlogen vlak langs de hoogspanningskabels.

Hij was er even niet verdacht op geweest; de kabels waar de heks zich in verborgen hield. Ze wiegden zachtjes heen en weer in de wind.

Op dat moment vervloekte Bernie de Zwellengrebel vanuit het diepst van zijn hart. Dat vuile, vermolmde rotwijf! Ze had hem voortdurend laten leven in angst. En nog steeds was hij doodsbenauwd. Straks zou hij een aap zijn. En dan? Moest hij verder leven in een dierentuin? Die gedachte was gruwelijk. Zelfs als het nog goed zou komen, zou Bernie nooit meer naar een dierentuin kunnen gaan zonder medelijden te hebben met de apen die tussen tralies moesten leven…

Hij keek omhoog en schreeuwde zo hard als hij kon: 'KLE-REWIJF!'

Hij verschoot van kleur van zijn uitbarsting. Even leken de weilanden hun adem in te houden. Toen roerde zich iets in de verte. Het groepje meeuwen, dat loom was weggecirkeld, kwam terugvliegen; de vogels vlogen zo hard als ze konden. En Bernie voelde hoe paniek als een kei omlaag zonk in zijn maag; want die meeuwen vlogen *ondersteboven*...

Een sissend geluid klonk vanuit de lucht. Bernie begon te hollen, terug naar huis. Het sissen ging over in gieren. Toen Bernie omkeek zag hij over zijn schouder hoe een van de kabels oplichtte.

Hij rende als een bezetene. Het geluid schoot als een straaljager over hem heen. Hij bereikte de eiken, daar keek hij weer naar boven. De kabel vonkte en knarste.

Bernie racete door de achtertuin, en toen naar binnen door de keukendeur.

'De heks!' schreeuwde hij. 'Ze kómt!'

Op datzelfde moment sprong het licht in de keuken aan. Hij stommelde verder door de gang. Ook daar gloeide onmiddellijk het licht op.

In de woonkamer zat Jane bewegingloos achter het boek. Haar gezicht was grauw.

Toen de lichten in de woonkamer aanflitsten, hief ze haar handen. Ze schreeuwde een spreuk en even doofden de lampen en werd het donker.

Daarna leek het geknisper zich achter de wanden te verspreiden. Overal om hen heen lichtten de muren op, de kamer baadde in een fel groen schijnsel. Opnieuw strekte Jane haar handen uit. Maar voordat ze iets kon uitbrengen leek ze een klap te krijgen van een onzichtbare vuist. Ze vloog een halve meter omhoog, en smakte toen neer op de vloer.

Bernie kroop onder de tafel. De kamer begon te schudden alsof er een aardbeving plaatsvond. En plotseling was er geluid.

'Goeiemorgen dames en heren!' klonk het luid. 'We zijn weer te gast bij muziekcentrum De Bokkelberg te Landsmeer, en wat een schitterende dag gaat dit worden!'

De grote breedbeeld-tv van meneer King flikkerde en flitste toen aan. En pal voor de presentator verscheen een gedaante. Eerst was die nog doorzichtig, maar de gedaante werd snel vaster van vorm. Bevend zag Bernie hoe de Zwellengrebel verscheen op het scherm. Haar hoofd keek naar binnen in de kamer.

'We zullen de uitzending feestelijk openen met een optreden van niemand minder dan *Jeremy*!' zwetste de presentator achter de rug van de heks.

De heks draaide zich om en spuugde in de richting van Jeremy, die net het podium kwam opdraven. Jeremy verdween in een vloedgolf van blauw speeksel.

'Dag Bernie!' krijste de heks. 'Dag, m'n jongen! Daar ben ik weer!'

Haar gele ogen groeiden. Haar hoofd werd groter, ze kwam tot vlakbij het scherm.

'Wij gaan iets leuks doen, jongen!' kraste ze. 'Jij komt gezellig met mij mee naar een plek waar je nooit bent geweest! En waar je ook *nooit* meer vandaan zult komen!'

Brokjes groene schittering dansten over het scherm. De heks opende haar mond. Waar ooit een gebit had gezeten, waren nu vlammen; de mond van de heks leek op een oven. Het vuur laaide op en kwam door het scherm naar buiten. Lamgeslagen van angst zag Bernie hoe de vlammen een dichte, verzengende bundel vormden, die zich naar hem uitstrekte. Het werd een brandende klauw die zich een weg vocht door de lucht, in de richting van de tafel.

Bernie kon de hitte voelen. De nagels van de klauw veegden vlak langs zijn gezicht. De klauw opende zich en één ijselijke, schroeiende seconde leken de vingers zich rondom zijn hoofd uit te spreiden. Toen flitste alles weg...

Het scherm werd grijs. Het schudden hield op en het groene licht stierf weg.

'Zo,' zei Jane vanuit een hoek.

Bernie opende zijn ogen en zag zijn zus opkrabbelen. In haar hand hield ze de stekker van de tv.

'Klaar,' zei Jane. 'Dat gedrocht is uitgeschakeld. Ze zit in de tv van pa.'

Trillend kroop Bernie onder de tafel uit.

'Jane...'

Zijn zus haalde haar schouders op.

'We hadden beter moeten nadenken,' zei ze. 'Dat wijf had geen elektriciteit nodig – ze wás elektriciteit! En dus kon ze zelf die tv aandoen, toen ze eenmaal wist waar ze moest zijn. Maar nu is ze afgesneden van de toevoer, nu zit ze gevangen...'

'Je... je bent geweldig,' stotterde Bernie.

'Als het niet lukt met toverkracht, dan maar zo,' zei Jane nuchter.

Van een afstand keken ze naar de tv. Heel vaag, achter het grijs, bewogen zich twee knipperende gele ogen, die langzaam uitdoofden.

54

Met de tv klom Bernie in een eik. Het was een loodzwaar ding en de bast was glibberig van het vocht, maar zijn woede gaf hem een enorme kracht. Bernie tilde en klom, zo hoog als hij kon. In de diepte stond Jane toe te kijken.

Toen hij steunend was aangeland op een dunne tak, ver boven de weilanden, gooide hij het toestel van zich af. Er klonk een zwak gekras terwijl het ding omlaag zeilde.

Met een klap kwam de tv terecht op een van de paaltjes die meneer King in de grond had geslagen. De losse onderdelen kletterden neer in het gras. En een groen wolkje kolkte omhoog, en werd vervolgens uiteengeslagen door de wind en de regen. In vele losse moleculen werd de heks verspreid – en dat was haar werkelijke einde.

Bernie stond tussen de takken. Hij hijgde van inspanning. Nog enkele minuten lang liet hij zich natregenen. De beklemming spoelde van hem af.

55

'Shit, man!' zei Kimberly. 'Hadden jullie niet even op ons kunnen *wachten*?!'

'Ja!' zei Natasha. 'Wij hadden het willen zien!'

'O, maar er moet nog genoeg gebeuren,' zei Jane. 'En daar mogen jullie bij helpen.'

Ze stonden in de achtertuin te kijken naar de resten van de tv.

'Wat dan?' vroeg Kimberly achterdochtig.
'We gaan een heksenkring vormen,' zei Jane.
'Een wat?'
'Een heksenkring. Een magische cirkel.'

Jane legde uit dat ze elkaar moesten helpen. Dat het daarom nog niet was gelukt om Tessa en Leo terug te toveren.
'We déden het toch samen?' vroeg Natasha.
'Niet echt,' zei Jane. 'Jullie deden maar wat. We moeten nu tegelijkertijd dezelfde spreuken uitspreken en we moeten elkaars hand vasthouden.'
'Dat klinkt behoorlijk klef,' zei Kimberly.
'Ja!' riep Natasha. 'Van die suffe Amerikaanse bands doen dat voordat ze gaan optreden! Dan omhelzen ze elkaar terwijl ze elkaars handjes vasthouden! Dat is soft, man!'
Opeens keek Jane hen strak aan, één voor één.
'Jullie moeten nou eens ophouden met je als trutten te gedragen,' zei ze.
Bernie, die ernaast stond, schrok van de felheid van haar blik.
'Eh... o...' zei Kimberly.
'Rustig nou maar,' mompelde Natasha.
'Die make-up staat je best tof,' zei Kimberly. 'Echt wel.'
'Zeker weten, Jane!' zei Natasha. 'Je bent hartstikke cool geworden.'
'Goed,' zei Jane zacht. 'Dan gaan we nu beginnen.'
Het toverboek lag nog steeds open op tafel, en gelukkig waren de letters niet door elkaar gedwarreld.
Kimberly en Natasha zaten ongeduldig op de bank te luisteren terwijl Jane voorlas.
'Een heksenkring, ook wel magische cirkel genoemd, wordt

gevormd ende gebruikt voor het opheffen van betoveringen,' las Jane voor. 'Dat gebeurt meestal in eerder gevormde cirkels, waarbij de nieuwe cirkel de oude zal uitwissen ende verwijderen. Zo'n tweede heksenkring kan enkel gevormd worden door meerdere, samenwerkende personen en dient altoos te geschieden onder de bescherming der takken of loof van bepaalde levenskrachtige bomen, zoals daar zijn: de eik, de lariks, de linde of de vuurdoorn. Hier moeten de ingewijde personen een gesloten cirkel onderhouden, en dus een voortdurend gevoelen van huid tot huid betrachten. Vervolgens moet deze cirkel zijns weegs gaan draaien, tegengesteld aan de wijzers van de klok. Aldus zal de tijd zelve worden teruggedraaid...'

'Man!' riep Natasha. 'De tijd terugdraaien! Leuk zeg! Zo word ik nooit achttien!'

'Kun je nu eens heel even niet aan jezelf denken?' vroeg Jane. 'Hallo! Er liggen daar twee vruchten te verleppen!'

'Egocentrische vijg!' riep de komkommer vanuit de vruchtenschaal.

'Zelfzuchtige knolraap!' riep de grapefruit.

'Sorry hoor,' zei Natasha kleintjes.

'Dit,' las Jane verder, 'zal niet van invloed zijn op de deelnemers der kring...'

'Ah,' zei Natasha.

'...maar wel op de betoverde personen in het binnenste der kring. Ten tijde van het terugdraaien van de tijd zal een bezwering worden uitgesproken ende gedicteerd. De woorden van de bezwering zelve bevinden zich onder aan de bladzijde. Deze moeten bij voortduring worden herhaald door alle aanwezige deelnemers van de kring. Zij moeten zodanig worden uitgesproken dat zij zich zullen voegen in een ritme. Dit ritme zal de tijd voor de betoverde personen in steeds hogere voorspoedigheid achteruit spoelen, zoals een rivier de berg op kan spoelen...'

'Ja hoor!' riep Natasha. 'Een rivier die de berg op spoelt!'

'Aldus,' las Jane, 'zal uiteindelijk de oorspronkelijke vorm, zoals die was ten tijde van de betovering, kunnen worden hervonden... Eens kijken... Voor het ware begrip zal eenieder terdege moeten beseffen dat de cirkels een bolvormige hoedanigheid hebben, en dus ook naar onderen en naar boven zullen uitdijen...'

'Hallo!' riep Kimberly. 'Waar slaat dát op?'

'Ik weet ook niet wat dat precies betekent,' zei Jane, 'maar het lijkt me niet erg belangrijk... Ha, dit is wél belangrijk! Het werkelijke opheffen van de betovering kan voor de deelnemers gelijken op meerdere uren. Maar dit is slechts schijn, want feitelijk passeren er maar enkele minuten tijds. Bedenkt onderwijl dat met het veranderen van de tijd, álles zal veranderen. De heksenkring kan worden geopend ende onderbroken als de betoverde personen het gevoel krijgen opnieuw te worden geboren. Dit gaat gepaard met grauw slijm zoals bij een heuse menselijke geboorte. Het is voor alle aanwezigen een aangrijpende ende schokkende ervaring.'

'Shit, man!' zei Natasha. 'We zijn niet eens zwanger! En dan moeten we nu al baren!'

Kimberly begon te giechelen.

Jane las verder: 'Eén waarschuwing moet hier nog worden gegeven ende opgemerkt: mocht de kring al tijdens het terugdraaien worden verbroken, dan is het mogelijk dat er krachten zullen weglekken. De gevolgen hiervan zijn niet te voorspellen. Maar laat het gezegd zijn dat die zelden gunstig ende voorspoedig zullen verlopen...'

Kimberly en Natasha giechelden nu allebei.

'Wat?' vroeg Bernie.

'Onvoorspelbaar,' zei Kimberly. 'Daar hou ik van.'

'Misschien veranderen júllie wel in komkommers dan,' zei Jane.

Even keken Kimberly en Natasha haar met open mond aan. Toen begonnen ze te schateren.

'Cool!' riep Natasha.

Bernie tikte tegen zijn voorhoofd.

'Oké,' zei Jane. 'Dan volgen hier de woorden die we moeten uitspreken...'

56

Achter elkaar aan liepen ze door de achtertuin. Ze legden de grapefruit, de komkommer en Sjakie de slak in het gras, onder de eikenbomen. Het was, dankzij het druilerige weer, een duistere, geheimzinnige plek.

'Dit is de juiste plaats,' zei Jane dromerig. 'Ik voel het gewoon. Dit was het begin van de heksencirkel van de Zwellengrebel. Ik begrijp best dat ze daarom hier is gaan wonen. En hier gaan wij dus haar cirkel uitwissen met de onze...'

'Niet langer zeuren,' zei de komkommer. 'Toveren! Ik heb er méér dan genoeg van om een groente te zijn.'

'Ik ook,' zei de grapefruit.

'Goed,' zei Jane. 'We moeten onze schoenen uitdoen.'

'Waarom?' vroeg Kimberly.

'Dan voelen we de grond,' zei Jane. 'Dat heb ik gelezen bij een ander hoofdstuk. Blote voeten helpen je. Dat is ook de reden dat Bernie zo sterk is geworden.'

Met tegenzin schopten Natasha en Kimberly hun pumps uit. Ze huiverden, want het gras was nat.

'En jij,' zei Jane tegen Bernie, 'jij moet erbij gaan zitten.'

'Weet je zeker dat je die staart niet wilt houden?' vroeg Kimberly.

'Ja!' zei Natasha. 'Die staart is sexy.'

'Dat haar in mijn gezicht, is dat ook sexy?' vroeg Bernie wrevelig.

'Wel mannelijk,' zei Kimberly vrolijk.

Bernie ging zitten.

'Welkom bij de kneuzenclub,' zei de komkommer.

'Oké,' zei Jane. 'Nu moeten we elkaars hand vasthouden. En we moeten om hen heen gaan lopen. Tegen de klok in. Weten jullie de woorden nog?'

De meisjes giechelden opgewonden.

'Het lachen zal jullie wel vergaan,' zei Jane. 'Want we zullen er best lang mee bezig zijn. Zo lijkt 't tenminste.'

'Rustig, schat!' zei Natasha.

'Ja, liefje!' zei Kimberly. 'Don't worry, be happy.'

Ze pakten elkaars handen.

'Zijn jullie klaar?'

De meisjes knikten.

'Daar gaat-ie,' zei Jane.

Ze begonnen te lopen, tegen de klok in. Jane mompelde de woorden.

'Vina djinna flamenco, biswas hiboeralian, salamanca sirocco, lecturia Australian...'

Na enkele minuten begonnen Kimberly en Natasha mee te prevelen. Tot zijn verbazing merkte Bernie dat ze alle drie dezelfde buitenissige klanken uitspraken, alsof het ze geen enkele moeite kostte om die te onthouden. En algauw, door de samenklank, klonken ze als een achteruit draaiende bandrecorder.

Steeds uitgerekter leek hij de woorden te horen. Hij voelde zich loom worden. De benen van de meisjes kwamen langs alsof het één zespotig wezen werd. En ten slotte versmolten de woorden tot een gonzende, ritmische stroom...

Bernie ging op zijn rug liggen. Hij staarde naar de takken van de eiken; daartussen was de grijze lucht. Hij voelde zijn rug vochtig worden. En de stroom van geluid vulde langzaamaan zijn hersens...

Hij zag zichzelf op zijn bed zitten... Achterstevoren liep hij naar de badkamer... De douche slurpte het water naar binnen... Daarna sprong hij met zijn rug naar voren over de trap omlaag... Zo liep hij achteruit naar buiten... Steeds meer mensen kwamen langs... En vurige blauwe ballen spoten naar binnen in de vingertoppen van de Zwellengrebel... En vlinders pakten zich samen in de lucht en daalden neer en namen de vorm aan van de heks... En mevrouw Dorestijns thee spoelde vanuit een kopje in de tuit van de theepot...

Er was geen houden meer aan. Alles verdween in een kolkende, wervelende chaos van achteruitlopende beelden.

57

Toen Bernie wakker werd was daar het gezicht van dokter Roekel.

'Ha!' zei de dokter. 'Dag jongen, je bent bij je positieven.

Eindelijk. Hoe voel je je?'

Lodderig keek Bernie hem aan. Hij draaide zijn hoofd een stukje. Hij lag in een zaaltje. Zonnestralen tekenden felle rechthoekige patronen op een van de wanden. Iets verderop lag Tessa te slapen. Twee verpleegsters liepen met klakkende hakken rond.

Traag voelde hij aan zijn wangen. Die waren glad.

'Veel beter,' murmelde Bernie.

'Dat is mooi,' zei de dokter. 'Je moet niet proberen om overeind te komen. Kun je je nog iets herinneren?'

'Van wat?'

'Van wat er is gebeurd.'

'Waar ben ik?'

'In het ziekenhuis,' zei dokter Roekel. 'Ik heb heel veel vragen. Of eigenlijk: iedereen heeft veel vragen. Waar komen Tessa en... en die jongen bijvoorbeeld vandaan?'

Het gezicht van de dokter was nu een en al verwachting. Bernie besefte voor de zoveelste keer dat het geen enkele zin had om de waarheid te vertellen.

'Hij heet Leo,' zei hij. 'Leo en Sjakie. We hebben ze gevonden. In de weilanden.'

'Leon Sjakie?' vroeg dokter Roekel. 'Gevonden?'

'Ja. Allebei. Ze lagen daar. Achter onze tuin.'

'Maar... maar... Ik heb het rapport gelezen van de politie. Waarom lag jíj daar dan tussen? En waarom hadden jullie geen kleren aan? En waar is je staart gebleven? En wie was dat oude vrouwtje dat –'

'Water,' mompelde Bernie. 'Ik ben erg moe...'

'Jullie lagen in een plas *slijm*! En waar zijn je ouders?'

'Op vakantie,' wist Bernie nog uit te brengen.

Zijn ogen vielen dicht.

Wat later deed hij opnieuw zijn ogen open. Nu leek hij alleen te zijn. Nee, dat was niet waar, Tessa lag in haar bed. Maar de verpleegsters en de dokter waren verdwenen. Bernie dronk een glas water leeg. Hij kwam overeind. Hij had een nachthemd aan. Even wankelde hij, hij had een daverende hoofdpijn.

'Tessa?'

Tessa was heel bleek. Ze ademde onrustig. Vanuit een zakje met vloeistof liep een slangetje omlaag naar haar arm.

'Tessa? Hoe voel je je?'

Ze zuchtte en draaide zich toen om, van hem af. Bernie strompelde naar het volgende bed. Daar lag een jongen, wat ouder dan hijzelf. Dat zou Leo dan wel zijn. Ook hij was diep in slaap, ook bij hem liep een slangetje naar zijn arm.

Van Sjakie was geen spoor. Bernie vroeg zich af of die misschien in een andere kamer lag.

Stapje voor stapje liep hij de zaal uit. De ziekenhuisgang leek heen en weer te wiegen. In de verte liep een verpleegster. Toen ze hem zag wankelen kwam ze aanbenen.

'Bernie? Bernie King?'

'Eh... ja?'

'Je mag nog niet uit bed.'

'Waar is Jane?'

'Wie?'

'Ik wil weten hoe het met Jane is.'

De zuster keek hem even aan.

'Jane... Dat is de naam van je zus, toch?'

'Ja.'

De zuster maakte een schuddend gebaar met haar hoofd.

'We weten niet waar je zus is. We hebben jullie gevonden, en er was een onbekende jongen bij. En een oud vrouwtje...'

'Een oud vrouwtje...?'

Bernie sloeg zijn handen tegen zijn mond. Het drong direct tot hem door wat er was gebeurd – er was iets misgegaan met de magische cirkel. En voor Jane was de tijd blijkbaar *vooruitgelopen...*

'Waar ligt ze?'

'Dat vrouwtje ligt al twee dagen lang bewusteloos in kamer 314. Weet jij wie dat is?'

'Twee dagen lang?' stamelde Bernie. 'Ik ben hier toch net?'

De zuster schudde haar hoofd.

'Jullie zijn hier al twee dagen,' zei ze. 'Je hebt al die tijd geslapen. En nu terug naar je kamer.'

58

Bernie ging weer liggen. Een zuster kwam hem eten brengen, en hij at alsof hij nog nooit had gegeten, maar het stukje kip liet hij staan. Terwijl hij bezig was aan zijn maaltijd kwamen de ouders van Tessa binnen. Ze gingen naast haar zitten. Haar moeder huilde, haar vader knikte hem even toe. Er kwam intussen een vrouw bij zijn bed staan.

'Zo Bernie. Ik ben dokter Snijders. Hoe voel je je?'

'Op zich wel... wel goed.'

'Dat is mooi. Weet je, het zou ons erg helpen als je iets kon vertellen over wat er is gebeurd.'

'We hebben Tessa en Leo en Sjakie gevonden... Dat is alles.'

'Sjakie?' vroeg dokter Snijders. 'Bedoel je soms Sjakie

Smeets...? Die is een paar dagen terug bij zijn ouders komen aankloppen. Hij was nogal in de war. Maar het lijkt erop dat hij gewoon was weggelopen...'

'O...'

'Het is uiterst curieus allemaal. De politie heeft allerlei vragen. Maar eerst moeten jullie aansterken. Weet je niet iets meer te vertellen?'

'Dat oude vrouwtje, hoe gaat het daarmee?'

Dokter Snijders keek zorgelijk.

'Eerlijk gezegd, Bernie, niet zo goed. Dat mensje is hoogbejaard. Haar hart klopt onregelmatig... Nou ja. We doen ons best hoor. Kun je me dáár dan iets over zeggen?'

'Ze... Ze heeft geprobeerd... te toveren...'

'Wát?'

'Zij heeft ons gered.'

Op dat moment begon Bernie bijna te huilen. Zijn gezicht verkrampte, maar er kwamen geen tranen.

'Jongetje...' zei dokter Snijders. 'Je mag huilen, hoor.'

Bernie haalde kort zijn schouders op. Het was alweer voorbij.

'Weet je waar je ouders zijn?'

'In Amerika.'

'Is dat alles wat je weet?'

Bernie knikte. Dokter Snijders schudde verontwaardigd haar hoofd.

'Krankjorum,' zei ze zacht. 'Had jij trouwens niet een staart? Die is namelijk verdwenen. Of was het allemaal maar een truc? Iets wat je hebt uitgehaald om op tv te komen?'

Bernie zei niks.

'Nou ja,' zei dokter Snijders. 'Het komt wel. Men probeert je ouders nu te vinden. Maar ze hebben dus niet een adres achtergelaten? Of een mobiel nummer? En je weet niet toevallig waar je zus –'

'Ik weet niks,' zei Bernie.

Dokter Snijders staarde hem nog even onderzoekend aan. Daarna liep ze weg.

Ook de ouders van Tessa verdwenen weer. Het werd stil in de kamer. Achter de ramen begon het donker te worden. Bernie stond op en keek naar buiten, over de weilanden. Hij dacht aan Jane. Jane had hen gered. En nu was ze daarvan het slachtoffer geworden...

Boven de velden, in de verte, verscheen een stip. De stip zwalkte heen en weer, maar werd toen snel groter. Even brak het zweet hem uit, want het was de bezem van de heks – maar daarop, zag hij al spoedig, zaten Kimberly en Natasha.

'Joehoe!'

Bernie opende een raam.

'Remmen, trut!' riep Natasha.

Kimberly, die voorop zat, maakte een beweging met haar benen. De bezem schoot sierlijk omhoog, draaide om en kwam weer terug. Daarna hing hij stil voor het raam.

'Hoi held!' riep Kimberly. 'We staan in de krant!'

'Ja!' riep Natasha. 'Ze denken dat wij Tessa en Leo hebben teruggevonden!'

'Ja!' riep Kimberly. 'Maar Sjakie niet. Die slak met handjes was namelijk écht een slak! En Sjakie was waarschijnlijk gewoon ervandoor gegaan. En nu is-ie weer terug bij zijn ouders.'

'En nu zijn wij ook beroemd!' riep Natasha. 'Net als jij!'

'Wij zijn heldinnen!' riep Kimberly.

'Yes!' riep Natasha. 'Maar eigenlijk is het niks, dat beroemd zijn! Iedereen wil alleen maar dat je telkens hetzelfde verhaal vertelt! Ont-zet-tend saai!'

'Dat vind ik ook,' zei Bernie.

'En daarom gaan we naar Arabië!' riep Kimberly. 'Op de bezem! Op zoek naar mijn pa! Die wil ik wel eens ontmoeten!'

'Kom op, held!' riep Natasha. 'Niet zo sip kijken! Ik kom heus wel weer terug en dan gaan we samen uit! En je bent je staart toch kwijt? Niemand noemt je nu meer kleine aap!'

Plotseling viel het Bernie op dat er iets wapperde, achter op de bezem.

'Wat is dat?' vroeg hij.

'Jouw staart!' riepen Kimberly en Natasha tegelijkertijd.

'Die konden we niet laten liggen!' voegde Natasha eraan toe.

'Een apenstaartje!' riep Kimberly. 'Daar kunnen we nog wel eens iets grappigs mee doen! Er zit kracht in dat ding!'

Bernie grinnikte. Daarna betrok zijn gezicht opnieuw.

'Het gaat heel slecht met Jane,' zei hij.

'O ja?' vroegen Kimberly en Natasha tegelijkertijd.

'Ja. Ze is... Ze is *oud* geworden!'

Kimberly fronste haar wenkbrauwen.

'Die Jane,' zei ze. 'We hadden al gezien dat ze wit haar had gekregen, die avond. Maar toen kwam ineens de politie, dus toen werden we opgepakt. En jullie en Jane werden weggereden in een ambulance.'

'We hebben in de cel gezeten!' riep Natasha. 'Dat was lachen! We hebben de tralies slap gemaakt!'

'Maar hoe komt het dan dat zij en niet jullie...' zei Bernie.

'D'r ging op het laatst effe iets mis!' riep Kimberly.

'Want ik had jeuk!' riep Natasha. 'Ik kreeg ontzettende jeuk aan m'n neus. Ik *moest* gewoon eventjes krabben!'

'En we waren ook wel benieuwd hoe het zou gaan met zo'n onderbroken cirkel!' riep Kimberly. 'Want wij houden wel van onverwachte dingen.'

'Dat is lachen!' riep Natasha.

'Maar niet voor onze Jane!' riep Kimberly. 'Die schat trekt 't zich allemaal veel te veel aan!'

'Ja,' zei Natasha. 'Ze neemt alles veel te zwaar!'

'Kunnen jullie haar niet helpen?' vroeg Bernie.

'Tuurlijk wel!' riep Kimberly. 'Onze Jane moet iets hebben om voor te zorgen. Dan wordt ze weer jong – of liever: dan wordt ze *eindelijk* echt jong! Want ze gedroeg zich altijd al of ze bejaard was. Daarom is ze het geworden!'

'Wij fiksen het wel!' riep Natasha. 'Voordat we vertrekken! No problemo! Want wij zijn heksen! En bovendien is het legemaan vannacht!'

'*Lege*maan?' vroeg Bernie verbaasd.

Kimberly giechelde.

'We hebben hem leeg laten lopen! We kunnen nu alles! Want we doen het *samen*! Samen ben je lichter, in plaats van zwaarder! Dat weten we nou!'

'Zo is dat, tutje!' riep Natasha. 'En blijf jij maar wakker, Bernie! Want het wordt leuk vannacht...'

Op dat moment maakte de bezem een bokkende beweging.

'Kamer 314!' riep Bernie nog.

Daarna schoten de meisjes weg.

59

In bed lag Bernie te wachten. Ook de ouders van Leo waren gekomen, ook zij hadden naast hun slapende zoon zitten huilen. Nu waren de lichten gedoofd. De nachtzusters waren geweest om te controleren of alles in orde was. Daarna was het stil geworden.

Bernie keek naar buiten, naar de maan boven de weilanden. Die leek inderdaad op een leeggelopen ballon...

En eindelijk, om middernacht, meende hij achter het raam iets voorbij te zien schieten. Hij ging overeind zitten. Had hij het goed gezien?

Ja! Daar ging het weer! Zwart afgetekend tegen de donkere nachtlucht gleed opnieuw de heksenbezem langs, waarop Kimberly en Natasha zaten. Hij hoorde ze giechelen.

En voor de derde keer kwam de bezem voorbij. En nog eens. Steeds sneller veegde de bezem langs het raam.

Op dat ogenblik kwamen, haast onmerkbaar, de bedden in de zaal van de grond. Verrast keek Bernie om zich heen. Ook de kastjes en de apparaten dreven omhoog, traag als ballonnen; alles in de zaal werd gewichtloos.

Deuren klapten open en weer dicht. Een sterke geur van kruiden en gemaaid gras verspreidde zich door het ziekenhuis.

Bernie wilde naar de gang lopen. Maar hij merkte dat zijn voeten geen contact maakten met de vloer. Hij zweefde.

Hij liet zich zweven. Te midden van de bedden, van de nachtkastjes en van de medische apparaten hing hij in de lucht. Hij spartelde niet tegen; het was een heerlijk gevoel. Daarna werd alles wazig...

60

Opeens stond hij op zijn voeten. Hij keek rond. Alles stond weer op zijn plaats.

Bernie zette het raam open; hij had het warm. De maan, zag hij, was weer de sikkel die hij hoorde te zijn.

Hij liep terug naar zijn bed en ging zitten.

'Bernie?'

Hij schrok op uit zijn gemijmer.

'Tessa!'

'Bernie, waar ben ik?'

'In het ziekenhuis.'

'Ja...? Ik droomde dat ik bij de groenteboer lag...'

'Je bent weer gewoon! Dat komt door Jane. O, Tessa...'

Hij ging naast haar bed zitten. En hij voelde hoe ze tastte naar zijn hand.

'Het is haar dus gelukt...'

'Ja! En nu zijn Kimberly en Natasha Jane aan het redden.'

'Ik heb honger.'

'Morgenochtend krijg je ontbijt.'

'Weten mijn ouders al dat ik weer ík ben?'

'Ja, die zijn hier geweest. Ze hebben naast je bed zitten huilen.'

'En Leo? En Sjakie?'

'Leo's ouders zijn ook geweest. En Sjakie is weer thuis. En er heeft van alles in de krant gestaan. En... en...'

'Bernie?'

'Ja?'

'Het is allemaal net een droom.'

'Ja.'

'Volgens mij gelooft niemand dit, als we het vertellen.'

'Allerlei mensen hebben me vragen gesteld. Maar ik heb ze niks verteld.'

'Nee,' zei Tessa. 'Dat heeft geen zin, denk ik.'

'Nee. Maar 't geeft niet. We moeten het niet te zwaar nemen. Dat zeiden Kimberly en Natasha.'

'Die meiden,' zei Tessa. 'Die zijn van ijzer.'

'Ja,' zei Bernie. 'Ze lachen overal om. Daarom kunnen ze overal tegen.'

'Misschien,' zei Tessa, 'zou ik dat ook wat meer moeten doen...'

Daarna viel ze met een glimlach in slaap.

Bernie bleef haar hand vasthouden.

Het is een droom die doorgaat, dacht hij.

Nog lang zat hij uit te kijken over de donkere weilanden.

61

Pas toen de lucht roze kleurde, toen de nieuwe dag begon, maakte hij heel voorzichtig haar hand los.

Over de gang schuifelde hij naar kamer 314. De deur stond open. Bernie keek om de hoek. In een bed zat zijn zus, die eruitzag zoals ze hoorde te zijn. Nee, ze was toch anders – ze glimlachte breed. En op haar knieën bevond zich iets kleins en harigs.

Bernie kwam de kamer in. Hij zag het goed; op de knieën van zijn zus zat een aapje, dat zich rustig liet strelen.

Nu keek Jane op.

'Hoi,' zei ze vrolijk. 'Dit aapje zat naast me toen ik wakker werd. Lief hè?'

Bernie knikte verwonderd.

'Hij doet me een beetje denken aan jou,' zei ze. 'Dus ik noem hem Bernie. Bernie de tweede.'

Toen ze merkte hoe verbaasd hij was, begon ze te schaterlachen.

Uitgeverij Querido stelt alles in het werk om op milieuvriendelijke en duurzame wijze met natuurlijke bronnen om te gaan. Bij de productie van dit boek is gebruikgemaakt van papier dat het keurmerk van de Forest Stewardship Council (FSC) mag dragen. Bij dit papier is het zeker dat de productie niet tot bosvernietiging heeft geleid.